Roberta Ferencich - Paolo Torresan

giochi senza frontiere

attività ludiche per l'insegnamento dell'italiano

ALMA

Alma Edizioni - Firenze

Direzione editoriale: **Ciro Massimo Naddeo**

Redazione: **Carlo Guastalla**

Progetto Grafico e impaginazione: **Maurizio Maurizi e Andrea Caponecchia**

Copertina: **Sergio Segoloni**

Illustrazioni: **Cristiano Senzaconfini**

Printed in Italy
la Cittadina, azienda grafica, Gianico (Bs)

ISBN libro: 88-89237-15-5

© **2005 Alma Edizioni**

Ultima ristampa: dicembre 2006

Alma Edizioni
Viale dei Cadorna, 44
50129 Firenze
tel +39 055476644
fax +39 055473531
info@almaedizioni.it
www.almaedizioni.it

Indice

Introduzione .... *pag.* 8

Fonti .... *pag.* 12

Chi siamo? - Dediche .... *pag.* 13

Descrizione dei livelli secondo il Quadro Comune Europeo .... *pag.* 14

Quadro sinottico

PAGINA	TITOLO	OBIETTIVO	LIVELLO	NR. STUDENTI
15	1. Giochi di apertura e finali			
16	1.1 Il tuo nome, scusa?	Presentarsi	Tutti	Almeno 6
17	1.2 Presentazioni incrociate (*Benedetta Sala*)	Presentarsi	Tutti	Almeno 6
17	1.3 Il tuo *feedback*	Chiudere un corso facendo in modo che gli studenti si scambino apprezzamenti	Tutti	Almeno 3
18	1.4 Finale in coro	Scaricare le tensione a fine lezione/corso	Tutti	Almeno 6
19	1.5 Il dono	Stimolare la conoscenza tra i corsisti; chiudere un corso in bellezza	Tutti	Almeno 6
20	1.6 Domande a destra e a sinistra	Far parlare di sé	Da A2	Almeno 6
21	1.7 Il fiore a sei petali	Presentarsi	Da A2	Almeno 2
22	1.8 Che cos'hai nella borsa?	Manifestare aspettative o esprimere il proprio giudizio sul corso	Da B1	Almeno 2
23	1.9 Disegna l'animale che sei	Aprire o chiudere un corso; favorire un clima di fiducia	Da B1	Da 4 a 8
24	1.10 Se tu...	Far conoscenza; descrivere se stessi	Da B2	Almeno 2

Quadro sinottico

Pagina	Titolo	Obiettivo	Livello	Nr. Studenti
25	2. Attività per la divisione a coppie e a squadre			
26	2.1 A ugual rumore…	Dividere a coppie	Tutti	Almeno 8
26	2.2 I foulard colorati	Dividere a coppie	Tutti	Almeno 8
27	2.3 I pezzi di corda	Dividere a coppie	Tutti	Almeno 6
27	2.4 Clap Clap (*Cecilia Barsottelli*)	Dividere a coppie	Tutti	Almeno 8
28	2.5 Le scarpe simili	Dividere a squadre	Tutti	Almeno 6
29	2.6 Scegli il numero (*Cecilia Barsottelli*)	Dividere a coppie	A1	Almeno 6
30	2.7 L'operazione (*Cecilia Barsottelli*)	Dividere a coppie	A1-A2	Almeno 6
30	2.8 I versi degli animali (*Cecilia Barsottelli*)	Dividere a coppie	A1	Almeno 8
31	3.1 Attività didattiche - Lessico			
32	3.1.1 Si alzino tutti quelli che…	Parti del corpo e abbigliamento	Tutti	Almeno 6
33	3.1.2 Pallavolo	Qualsiasi ambito lessicale	Tutti	Almeno 6
34	3.1.3 Lanciarsi la pallina	Qualsiasi ambito lessicale	Tutti	Almeno 4
34	3.1.4 Pictionary	Qualsiasi ambito lessicale	Tutti	Almeno 6
35	3.1.5 Che cos'è?	Gli oggetti scelti dall'insegnante	Tutti	Almeno 4
36	3.1.6 La mucca	Numeri e parti del corpo	A1	Almeno 2
37	3.1.7 I multipli	Numeri	A1	Almeno 8
38	3.1.8 I numeri arrabbiati (*Marisa Frangipane*)	Numeri	A1	Almeno 3
39	3.1.9 Apparecchiare la tavola	Le posate	A1-A2	Almeno 6
40	3.1.10 Il ristorante	Cibi	A1-A2	Almeno 6
41	3.1.11 Domino (*Cecilia Barsottelli*)	Città e regioni italiane	A1-A2	Almeno 4

Quadro sinottico

Pagina	Titolo	Obiettivo	Livello	Nr. Studenti
42	3.1.12 Ahi! Che dolore!	Parti del corpo	A1-B1	Almeno 6
43	3.1.13 Ci vuole un fisico bestiale (*Ciro Mazzotta*)	Parti del corpo	A1-B1	Almeno 6
44	3.1.14 Cerca la parola	Qualsiasi ambito lessicale	Da A2	Almeno 6
45	3.1.15 Che lavoro fa? (*Cecilia Barsottelli*)	Mestieri	A2-B1	Almeno 8
46	3.1.16 Il rischio	Qualsiasi ambito lessicale	Da B1	Almeno 2
47	**3.2 Attività didattiche - Morfosintassi**			
48	3.2.1 Il guado del ruscello (*Martina Lohmann*)	Comprendere e fissare formule interrogative	A1	Almeno 2
49	3.2.2 Una valigia fantastica	Accordo sostantivi-aggettivi; i colori	A2	Almeno 4
50	3.2.3 Il gioco del P.P.P. (*Cecilia Barsottelli*)	Fissare i participi	A2	Almeno 8
51	3.2.4 Quanto ne vuoi?	Il *ne* partitivo	A2	Almeno 6
51	3.2.5 In cerca di chi...	Fare domande; fare perifrasi	Da A2	Almeno 4
52	3.2.6 Indovina la frase (*Maddalena Angelino*)	Riflettere sulle categorie grammaticali	Da B1	Almeno 6
53	3.2.7 I dieci comandamenti (*Gisela Irene Reynoso Méndez*)	Scrittura; imperativo	B1-B2	Almeno 4
54	3.2.8 Dialogo a catena	Pronomi doppi	B2	Almeno 2
54	3.2.9 Catena di ipotesi	Periodo ipotetico	B2	Almeno 4
55	3.2.10 La mongolfiera	Condizionale presente; futuro semplice	Da B2	Almeno 6
56	3.2.11 Riscrittura totale	Sintassi e coesione	Da B2	Almeno 2
57	3.2.12 Indovinelli al passivo (*Franco Pauletto*)	Forma passiva	Da B2	Almeno 2
58	3.2.13 L'isola dei naufraghi	Periodo ipotetico	Da C1	Almeno 3
59	**3.3 Attività didattiche - Produzione libera scritta**			
60	3.3.1 Lui e lei	Descrivere una situazione presente	A1	Almeno 4

Quadro sinottico

PAGINA	TITOLO	OBIETTIVO	LIVELLO	NR. STUDENTI
61	3.3.2 Disegna il fine settimana	Descrivere una situazione passata	A2	Almeno 2
61	3.3.3 Studenti in fasce (*Emanuele Pozzebon*)	Fare previsioni; indicativo futuro; congiuntivo presente	Da A2	Almeno 4
62	3.3.4 Il disegno misterioso	Descrivere	Da A2	Almeno 6
63	3.3.5 Gli extraterrestri (*Laura Saponaro, Silvia Testi, Paolo Torresan*)	Argomentare	Da A2	Almeno 4
64	3.3.6 Il circo	Descrivere; argomentare	Da A2	Almeno 4
65	3.3.7 Una storia a cipolla	Raccontare	Da B1	Almeno 4
66	3.3.8 Scrittura creativa (*Alessandro Laganà*)	Descrivere	Da B1	Almeno 2
67	3.3.9 La sfida	Formulare domande	Da B2	Almeno 6
68	3.3.10 Al centesimo compleanno	Scrivere un elogio	Da B2	Almeno 4
69	**3.4 Attività didattiche - Produzione libera orale**			
70	3.4.1 Taboo autogestito	Formulare perifrasi	Da A2	Almeno 6
71	3.4.2 Jigsaw con le immagini (*Angela Gomez*)	Descrivere	A2/B2	Almeno 6
72	3.4.3 Dimmi cosa ascolti e ti dirò chi sei (*Martina Lohmann*)	Formulare ipotesi	Da B1	Almeno 4
73	3.4.4 Giochi di ruolo	Argomentare	Da B1	Variabile
74	3.4.5 C'era una volta	Raccontare	Da B1	Almeno 6
75	3.4.6 Di spalle	Descrivere	Da B1	Almeno 6
76	3.4.7 La cartolina	Descrivere	Da B1	Almeno 4
77	3.4.8 Il club della depressione e il club dell'euforia (*Lucia Moretto*)	Lamentarsi; rallegrarsi	Da B1	Almeno 6
78	3.4.9 Dal veterinario (*Lucia Moretto*)	Consigliare	Da B2	Almeno 6
79	3.4.10 Quei simpatici inquilini	Protestare	Da B2	Da 5 a 7
81	3.4.11 Io sono la rosa	Argomentare	Da B2	Almeno 5
82	3.4.12 Comprendi la notizia e trascrivi (*Tommaso Meldolesi*)	Riferire	Da B2	Almeno 6

Quadro sinottico

PAGINA	TITOLO	OBIETTIVO	LIVELLO	NR. STUDENTI
83	**4. Rompighiaccio**			
84	4.1 Salutarsi allo zoo	Recuperare energia; prestare attenzione al linguaggio non verbale	Tutti	Almeno 4
84	4.2 Salutarsi con le emozioni	Recuperare energia; prestare attenzione al linguaggio non verbale	Tutti	Almeno 4
85	4.3 Salutarsi con il corpo	Recuperare energia; lessico del corpo	Tutti	Almeno 4
85	4.4 Il filo	Recuperare energia; prestare attenzione al linguaggio non verbale	Tutti	Almeno 4
86	4.5 Ma chi è?	Approfondire la conoscenza tra gli studenti	Tutti	Almeno 6
87	4.6 L'applauso	Recuperare energia	Tutti	Almeno 6
87	4.7 Sfida all'ultimo gruppo	Sciogliere l'imbarazzo	A1	Almeno 12
88	4.8 Guai a perdere il posto	Fissare alcune routine linguistiche	A1-A2	Almeno 8
89	**5. Attività dinamiche**			
90	5.1 Io nel gruppo *(Emanuele Pozzebon)*	Approfondire la conoscenza reciproca	Tutti	Almeno 4
90	5.2 Il direttore d'orchestra	Recuperare energia	Tutti	Almeno 3
91	5.3 Il nodo gordiano	Recuperare energia	Tutti	Almeno 7
92	5.4 Vado a cena con...	Recuperare energia	A1	Almeno 8
93	5.5 L'alfabeto emisferico	L'alfabeto	A1	Almeno 3
94	5.6 Il trenino	Recuperare energia; lessico riferito alle parti del corpo e all'abbigliamento	A1-A2	Almeno 8
95	5.7 La filastrocca a canone	Rafforzare la componente fonologica	A1-A2	Almeno 10
96	5.8 La penna della discordia	Favorire un clima collaborativo	A1-A2	Almeno 4
97	**6. Giochi interculturali**			
98	6.1 Cosa c'è?	Raccogliere informazioni su vari paesi	Tutti	Almeno 4
99	6.2 Dimmi come sei vestito e ti dirò da dove vieni	Conoscere i vestiti tipici di diversi paesi	A1	Almeno 4
100	6.3 Mari, monti, fiumi	Raccogliere informazioni su vari paesi	A1	Almeno 5
100	6.4 Da dove vieni?	Raccogliere informazioni su vari paesi	A2-B1	Almeno 4

Introduzione

Perché giocare?

La scuola "seria" si avvale sempre di più negli ultimi anni di uno strumento didattico tra i più "seri": il gioco. L'importanza del gioco in ambito educativo era già stata materia di studio di Bateson e Goffman fin dalla fine degli anni '50 ma solo in tempi recenti la dimensione ludica sembra finalmente essersi ritagliata un proprio spazio all'interno delle strategie d'insegnamento.

Come per magia molti si sono accorti che peraltro giocare non piace soltanto ai bambini ma anche agli adulti.

Nella didattica delle lingue l'utilità del gioco è indiscussa: diminuisce lo *stress*, favorisce la memorizzazione e realizza l'idea di un "fare con la lingua" che dovrebbe essere il più coinvolgente possibile: nello svolgere l'attività, tutta l'attenzione dello studente è focalizzata sul compito, ottenendo come effetto l'acquisizione delle forme.[1]

Giocare significa ripetere, praticare, focalizzare, fissare, sperimentare, negoziare, guidare, acconsentire, collaborare, controllare. L'atmosfera che si crea è positiva, l'entusiasmo e l'energia liberano la creatività, il piacere di stare in gruppo, la voglia di competere, l'originalità. Realizzando questo testo, ci siamo sempre più convinti come si possa, e anzi si debba, ribaltare il principio secondo il quale imparare significa fare fatica e sottoporsi a sacrifici. Al contrario, l'accento può essere spostato sul provare piacere e ricevere gratificazioni. Sull'essere assieme agli altri, sul ridere con gli altri.

Sapevate che la parola inglese *game*, nella sua etimologia anglosassone, rimanda a *gaman*, che significa *amicizia, compagnia*?

Quando funziona un gioco?

Perché funzioni un gioco deve:

- avere regole chiare, impartite con il minore numero di parole possibile;
- suscitare l'interesse e la curiosità;
- essere suddiviso in fasi ben distinte;
- "sfruttare le energie di gruppo legate tanto alla competizione quanto alla cooperazione"[2];
- valorizzare le differenze e coinvolgere tutti;
- stimolare una sospensione del giudizio;
- presentare un crescendo di interesse e di sfida;
- essere frutto di un'attenta pianificazione di tempi, strategie, materiali, ecc.[3]

---

[1] "Meeting and interiorising the grammar of a foreign language is not simply an intelligent, cognitive act. It is a highly affective one too": RINVOLUCRI, M., 1984, *Grammar Games*, Cambdrige University Press, Cambridge, 5.

[2] CENINI, A., 2001, *Ciurma, questo silenzio cos'è?*, Edizioni Paoline, Milano, 15.

[3] MEZZADRI, M., 2001, "Imparare giocando", *In.it*, III (3), 6 –10.

Qual è l'aspetto caratterizzante della raccolta?

La raccolta è contraddistinta da un approccio multisensoriale.

Siamo dell'opinione che occorra sollecitare i sensi che maggiormente veicolano le informazioni (vista, udito e tatto) per facilitare l'apprendimento di tutti i discenti. Quello che invece succede spesso è che l'insegnante privilegia quel particolare canale che ha avuto una certa preminenza nella sua formazione scolastica e che tuttora continua ad avere nel suo modo di apprendere.

Chi gioca con noi?

Nonostante il libro sia stato pensato per fornire nuovi strumenti al docente di italiano, una buona parte delle attività è facilmente trasferibile, almeno nei principi, all'insegnamento di qualsiasi altra materia.

Abbiamo segnalato i giochi che riteniamo particolarmente adatti ad un pubblico più giovane.

I livelli di competenza

Per ogni gioco viene descritto il livello di competenza della lingua necessario per poterlo realizzare con efficacia. Per i livelli di competenza linguistica ai quali i singoli giochi si riferiscono, rimandiamo al prospetto del Quadro di Riferimento Europeo, a pagina 14.

Quanti tipi di giochi ci sono?

Ogni insegnante sa che è necessario "ritmizzare" la lezione, nel senso di variare e articolare le attività, alternando momenti di attività a momenti di rilassamento. Il gioco, in questo senso, è estremamente duttile. Può essere introdotto:

1. come primo approccio al gruppo, in modo che i discenti familiarizzino tra loro oppure a conclusione della lezione o del corso;
2. per realizzare una divisione in gruppi o a coppie;
3. come ripasso della materia;
4. come brevissimo stacco per separare un'attività da un'altra, o per "energizzare" la classe a inizio giornata o dopo una lunga pausa;
5. per prevenire o risolvere conflitti, migliorare la dinamica del gruppo e contribuire alla sua armonia e alla sua unione;
6. come strumento di dialogo e di approfondimento interculturale.

In base a questi criteri la raccolta è stata dunque suddivisa nei seguenti capitoli:

1. giochi di apertura e finali
2. attività per la divisione a coppie e a squadre

3. attività didattiche

4. rompighiaccio

5. attività dinamiche

6. giochi interculturali

Tutti i giochi, ripetiamo, per quanto ci è stato possibile in sede di ideazione e di raccolta, intendono proporre un modello di apprendimento gratificante, dove hanno posto curiosità e sfida, il senso dell'aspettativa e della novità, la voglia di comunicare qualcosa di sé, il piacere cognitivo di strutturare conoscenze apprese. Se il *trait d'union* delle attività, a livello di superficie, è appunto quello della multimodalità dell'approccio, a livello di dinamiche profonde i nostri giochi hanno come scopo la centralità dei bisogni cognitivo-affettivi di chi impara. In altre parole, ogni volta che lo studente sentirà che gli è dato lo spazio di "mettersi in gioco", senza "perdere la faccia", le intenzioni della nostra raccolta saranno state realizzate; se poi mediante un'esperienza piacevole, come si prefigge di favorire questo libro, egli/ella avrà modo di scoprire e condividere con gli altri il suo personale profilo di apprendente, e quindi la sua stessa unicità, allora l'antologia sarà andata addirittura al di là dei nostri stessi auspici.

La preparazione

Ogni attività deve essere preparata seguendo le indicazioni offerte nella scheda di presentazione. Conviene, a volte, investire del tempo nella preparazione accurata delle schede e plastificarle, per poi usarle più volte, in classi diverse o per giochi diversi.

La scheda di presentazione

Ciascuna attività è corredata da una scheda in cui sono elencate le seguenti caratteristiche:

Modalità sensoriale	I livelli sensoriali maggiormente coinvolti
Obiettivo	Le finalità glottodidattiche e relazionali
Livello	Il livello di competenza linguistica minima, secondo i parametri del Quadro di Riferimento Europeo
Nr. partecipanti	Il numero minimo degli studenti per poter svolgere l'attività
Durata	Il tempo necessario al completamento dell'attività
Materiali	Le schede allegate fotocopiabili nonché oggetti che l'insegnante è tenuto a procurarsi per poter svolgere l'esercizio
Preparazione	Alcune operazioni che l'insegnante è tenuto a fare prima di presentare l'attività
Svolgimento	L'attività descritta fase per fase
Varianti	Alcune modalità alternative di presentare l'attività
Consigli	Suggerimenti offerti all'insegnante

Introduzione

Avvertenza

Più volte introdotti in classi di lingua italiana, i giochi qui proposti sono stati soggetti ad un progressivo affinamento e ad una continua validazione. Ciò non toglie che ogni insegnante può modificarne le regole, saltare dei passaggi o integrare il modello presentato con istruzioni personali. La cosa che ci preme sottolineare è l'invito a sperimentare anche le attività che richiedono una certa dose di improvvisazione, di disinvoltura, di coraggio.

Fonti

Molti giochi qui presenti sono stati inviati da insegnanti di tutto il mondo e per questo li ringraziamo. Qui sotto i loro nomi, le località in cui operano e gli esercizi di cui sono autori.

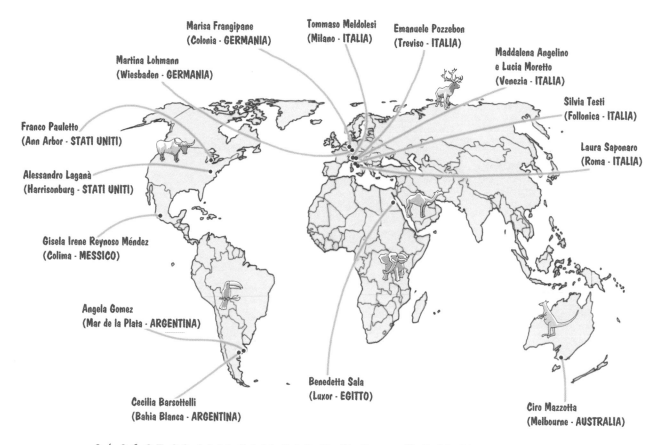

Marisa Frangipane
(Colonia · GERMANIA)

Tommaso Meldolesi
(Milano · ITALIA)

Emanuele Pozzebon
(Treviso · ITALIA)

Maddalena Angelino
e Lucia Moretto
(Venezia · ITALIA)

Martina Lohmann
(Wiesbaden · GERMANIA)

Silvia Testi
(Follonica · ITALIA)

Franco Pauletto
(Ann Arbor · STATI UNITI)

Laura Saponaro
(Roma · ITALIA)

Alessandro Laganà
(Harrisonburg · STATI UNITI)

Gisela Irene Reynoso Méndez
(Colima · MESSICO)

Angela Gomez
(Mar de la Plata · ARGENTINA)

Cecilia Barsottelli
(Bahia Blanca · ARGENTINA)

Benedetta Sala
(Luxor · EGITTO)

Ciro Mazzotta
(Melbourne · AUSTRALIA)

2.4, 2.6, 2.7, 2.8, 3.1.11, 3.1.15, 3.2.3: Cecilia Barsottelli (Bahia Blanca, Argentina)
3.4.2: Angela Gomez (Mar del Plata, Argentina)
3.2.7: Gisela Irene Reynoso Méndez (Colima, Messico)
3.2.12: Franco Pauletto (Ann Harbor, Stati Uniti)
3.3.8: Alessandro Laganà (Hamsonburg, Stati Uniti)
3.1.13: Ciro Mazzotta (Melbourne, Australia)
1.2: Benedetta Sala (Luxor, Egitto)
3.1.8: Marisa Frangipane (Colonia, Germania)
3.2.1, 3.4.3: Martina Lohmann (Wiesbaden, Germania)
3.4.12: Tommaso Meldolesi (Milano)
3.3.3, 5.1: Emanuele Pozzebon (Treviso)
3.2.6: Maddalena Angelino (Venezia)
3.4.8, 3.4.9: Lucia Moretto (Venezia)
3.3.5: Laura Saponaro (Roma)
3.3.5: Silvia Testi (Follonica)

I seguenti giochi invece si ispirano ad attività presentate nei seguenti testi:
3.3.7: MORGAN, J., RINVOLUCRI. M., 1983, *Once Upon a Time*, Cambridge University Press, Cambridge.
3.2.5, 3.2.10: RINVOLUCRI, M., 1984, *Grammar Games*, Cambridge University Press, Cambridge.
1.6, 3.1.12, 4.7, 5.7: PAROLINI, M., 1990, *Il libro dei giochi*, Piemme, Casale Monferrato.
5.4: LUTHER, M., MAAß, E., 1996, *NLP Spiele-Spectrum*, Junfermann Verlag, Paderborn.
3.2.13: MARSLAND, B, 1998, *Lessons from Nothing*, Cambridge University Press, Cambridge.
3.3.10: REVELL, J., NORMAN, S., 1999, *Handing Over. NLP-Based Activities For Language Learning*, Saffire Press, London.
4.3: MONTANARI, L. 2001, *Le parole del corpo*, Paoline, Milano.

Chi siamo? - Dediche

La versione finale di molte attività elaborate da Paolo Torresan e da Roberta Ferencich nasce dalla collaborazione e dalla sperimentazione incrociata di entrambi; non è facile, per questo, stabilire una chiara paternità.

Sono comunque elaborate da Paolo Torresan:

1.5, 1.7, 3.1.6, 3.2.2, 3.2.4, 3.2.8, 3.3.2, 3.3.5, 3.3.9, 3.4.4, 3.4.6, 3.4.10.

Sono realizzate da Roberta Ferencich:

1.8, 1.9, 1.10, 3.1.2, 3.1.9, 3.1.10, 3.1.16, 3.2.12, 4.2, 5.8, 6.1, 6.2.

Molti altri giochi sono patrimonio condiviso dagli insegnanti di vario ordine e grado, rivisti e adattati secondo la nostra prospettiva didattica.

Chi siamo?

Paolo Torresan, alias *piroclastico*, è insegnante di italiano L2, collabora con il Laboratorio *Itals* dell'Università Ca' Foscari, Venezia.

Roberta Ferencich è docente e formatrice in didattica, suggestopedia, tecniche della comunicazione, italiano e tedesco L2. Svolge consulenze all'apprendimento, *coaching* interculturali, sviluppa progetti ad hoc per l'industria. È presidente dell'AINMS, *Associazione Nuove Metodologie Suggestopedagogiche*. Abita a La Salute di Livenza (Venezia).

Dediche

Dedico questo libro a *Gisela* (Colima) e a *Guillermo* (Barcellona), con i quali ho condiviso momenti molto belli.

L'iniziale del loro nome è la stessa di *Giochi*…

E poi a tutte le persone che hanno aiutato me e Roberta a completare questo libro.

Paolo

Vorrei ringraziare innanzitutto Paolo Torresan che mi ha convinto a scrivere, e ancora Giorgio Canella, che mi dà la forza di cercare di raggiungere i miei obiettivi, mio Padre Mario Ferencich, che mi ha dato esempio a credere nelle mie visioni e ai miei ideali, mia Madre Tina Ferencich, per il suo feedback, mia Sorella Antonella con Anna e Silvia che ho ritrovato, lo Zio Augusto, la Zia Stelia per le lunghe telefonate di sostegno, la mia amica Patrizia Visentin con Enrico e Francesco, perché mi danno sempre sprone, aiuto e conforto personale, Michael Sasu e Aldo Morè per l'incoraggiamento, i colleghi dei corsi di formazione in Suggestopedia per la possibilità di sperimentare giochi e attività, il cane Bill per la sua pazienza ad aspettare un po' per la carezza, la gatta Maunzi per la sua presenza costante sulla scrivania.

Roberta

Descrizione dei livelli di competenza secondo il Quadro Comune Europeo		
Livello base	A1	Comprende e usa espressioni di uso quotidiano e frasi basilari tese a soddisfare bisogni di tipo concreto. Sa presentare se stesso/a e gli altri ed è in grado di fare domande e rispondere su particolari personali come dove abita, le persone che conosce e le cose che possiede. Interagisce in modo semplice purché l'altra persona parli lentamente e chiaramente e sia disposta a collaborare.
	A2	Comprende frasi ed espressioni usate frequentemente relative ad ambiti di immediata rilevanza (Es. informazioni personali e familiari di base, fare la spesa, la geografia locale, l'occupazione). Comunica in attività semplici e di routine che richiedono un semplice scambio di informazioni su argomenti familiari e comuni. Sa descrivere in termini semplici aspetti del suo background, dell'ambiente circostante e sa esprimere bisogni immediati.
Livello autonomo	B1	Comprende i punti chiave di argomenti familiari che riguardano la scuola, il tempo libero ecc. Sa muoversi con disinvoltura in situazioni che possono verificarsi mentre viaggia nel paese in cui si parla la lingua. È in grado di produrre un testo semplice relativo ad argomenti che siano familiari o di interesse personale. È in grado di descrivere esperienze ed avvenimenti, sogni, speranze e ambizioni e spiegare brevemente le ragioni delle sue opinioni e dei suoi progetti.
	B2	Comprende le idee principali di testi complessi su argomenti sia concreti che astratti, comprese le discussioni tecniche nel suo campo di specializzazione. È in grado di interagire con una certa scioltezza e spontaneità che rendono possibile un'interazione regolare con i parlanti nativi senza sforzo per l'interlocutore. Sa produrre un testo chiaro e dettagliato su un'ampia gamma di argomenti e spiegare un punto di vista su un argomento fornendo i pro e i contro delle varie opzioni.
Livello padronanza	C1	Comprende un'ampia gamma di testi complessi e lunghi e ne sa riconoscere il significato implicito. Si esprime con scioltezza e naturalezza. Usa la lingua in modo flessibile ed efficace per scopi sociali, professionali e accademici. Riesce a produrre testi chiari, ben costruiti, dettagliati, su argomenti complessi, mostrando un sicuro controllo della struttura testuale, dei connettori e degli elementi di coesione.
	C2	Comprende con facilità praticamente tutto ciò che sente e legge. Sa riassumere informazioni provenienti da diverse fonti sia parlate che scritte, ristrutturando gli argomenti in una presentazione coerente. Sa esprimersi spontaneamente, in modo molto scorrevole e preciso, individuando le più sottili sfumature di significato in situazioni complesse

1

Giochi di apertura e finali

Sono giochi da usarsi come primo approccio al gruppo, in modo che gli studenti familiarizzino tra loro, oppure da proporre a conclusione della lezione o del corso.

1.1 Il tuo nome, scusa?

Modalità sensoriale	Auditiva, cinestesica
Obiettivo	Conoscere e memorizzare i nomi dei corsisti
Livello	Tutti
Nr. partecipanti	Almeno 6
Durata	Pochi minuti
Materiali	-
Preparazione	-

Svolgimento

1. Gli studenti sono seduti in cerchio.
2. L'insegnante cammina in mezzo al cerchio, si ferma davanti ad uno studente e lo guarda: il compagno di destra e il compagno di sinistra devono alzarsi in piedi e dire i propri nomi.
3. Il corsista che sta nel mezzo prende il posto dell'insegnante.

Varianti

1. È il giocatore che viene guardato a dover dire i nomi del compagno di destra e del compagno di sinistra.
2. L'insegnante guarda lo studente e alza una mano con due o tre dita tese. Lo studente che viene guardato deve dire i nomi di due o tre compagni di destra o sinistra, oppure sono i due o tre compagni di sinistra o destra che devono dire i propri nomi.
3. Gli studenti sono in piedi. Il primo studente dice il suo nome e un aggettivo facendo un gesto che lo descrive. Il secondo ripete il nome, l'aggettivo e il gesto del primo, dice poi il suo nome, un nuovo aggettivo e compie un gesto a sé appropriato, e così via. L'ultimo è lo "sfortunato" che deve ricordare e riprodurre i nomi e i gesti di tutti.

1.2 Presentazioni incrociate

Modalità sensoriale	Auditiva, cinestesica
Obiettivo	Presentarsi alla prima lezione del corso
Livello	Tutti
Nr. partecipanti	Almeno 6
Durata	Pochi minuti
Materiali	-
Preparazione	-
Svolgimento	1 L'insegnante dà la mano ad uno studente e si presenta: *"Ciao, io sono Benedetta"* e lo studente dice il suo nome: *"Ciao, io sono Guillermo"*.
	2 Insegnante e studente possono staccare la mano solo dopo che ciascuno di loro si è presentato ad una terza persona, porgendo a questa l'altra mano.
	3 Così faranno pure gli altri studenti.
Consigli	Il gioco può essere ripetuto con maggiore scioltezza all'inizio della seconda lezione.

1.3 Il tuo feedback

Modalità sensoriale	Cinestesica
Obiettivo	Chiudere un corso facendo in modo che gli studenti si scambino apprezzamenti
Livello	Tutti
Nr. partecipanti	Almeno 3
Durata	Circa un quarto d'ora
Materiali	Fogli, scotch
Preparazione	-
Svolgimento	1 Ai partecipanti viene attaccato un foglio sulla schiena.
	2 Ciascuno cammina liberamente per l'aula; è invitato a scrivere o a disegnare un messaggio positivo riferito ai compagni sul foglio appeso sulla loro schiena.
	3 Alla fine ognuno legge il proprio foglio davanti alla classe.

17 *Giochi senza frontiere*

1.4 Finale in coro

Modalità sensoriale	Auditiva, cinestesica
Obiettivo	Scaricare la tensione e la fatica alla fine di una lezione
Livello	Tutti
Nr. partecipanti	Almeno 6
Durata	Pochi minuti
Materiali	-
Preparazione	-

Svolgimento

1. L'insegnante e gli alunni formano un cerchio piuttosto stretto, tenendosi per mano.
2. L'insegnante spiega agli studenti che dovranno urlare, assieme a lui/lei: *"Uno, due, tre: abbiamo finito!"*, agitando il braccio avanti e indietro, verso il centro del cerchio.

Varianti

Ci possono essere molte formule alternative. Ne proponiamo due:
1. *"Basta! Basta! Basta! Abbiamo finito!"*
2. *"Dieci, nove, otto, sette, sei, cinque, quattro, tre, due, uno, zero: abbiamo finito!"* (i numeri, in questo conto alla rovescia, dovranno essere scanditi in un crescendo di voce).

1.5 Il dono

Modalità sensoriale	Auditiva, cinestesica
Obiettivo	Stimolare la conoscenza tra corsisti; chiudere un corso in bellezza
Livello	Tutti
Nr. partecipanti	Almeno 6
Durata	Circa tre quarti d'ora
Materiali	Cartelloni o teli da portare in classe
Preparazione	-
Svolgimento	1 Si fanno uscire tre studenti dall'aula.
	2 La classe deve individuare un regalo di fine corso da fare a ciascuno di loro (può essere una cosa concreta o una cosa astratta).
	3 Una volta deciso, si disegnano alla lavagna i tre doni e si coprono i disegni con un cartellone o un telo.
	4 I tre studenti vengono fatti rientrare e accomodare di fronte alla classe. Ciascuno, a turno, deve rivolgere una domanda ad un membro della classe, per indovinare qual è il suo regalo e l'intervistato può rispondere solo "sì" o "no".
	5 Vince chi dei tre riesce ad indovinare per primo il suo dono (gli viene quindi fatto vedere il disegno).
	6 Una volta che anche gli altri due hanno indovinato il loro dono, si fanno uscire altri tre studenti e si ricomincia.
Varianti	Il gioco può essere presentato anche in occasione di un compleanno.

1.6 Domande a destra e a sinistra

Modalità sensoriale	Auditiva, cinestesica
Obiettivo	Far parlare di sé
Livello	Da A2
Nr. partecipanti	Almeno 6
Durata	Pochi minuti
Materiali	-
Preparazione	-

Svolgimento

1. Gli studenti sono seduti in cerchio.
2. L'insegnante rivolge ad uno studente una domanda a carattere personale, per esempio: *"Qual è l'ultimo film che hai visto al cinema?"*; *"Quali sono i tuoi hobby?"*; *"Dove abiti?"*
3. Risponde il compagno che occupa il terzo posto a destra come se la domanda fosse stata rivolta a lui.
4. Lo stesso studente che ha parlato al punto 3. rivolge una domanda a carattere personale ad un altro studente.
5. Risponderà ancora il compagno che occupa il terzo posto a destra e così via.

Varianti

1. È l'insegnante a stabilire lo studente che deve di volta in volta rispondere, alzando la mano destra con due o tre dita tese (se vuole indicare il secondo o il terzo studente a destra) o la mano sinistra (se vuole indicarne uno alla sinistra).
2. È lo studente a cui è stata fatta la domanda che alza la mano destra o sinistra con due o tre dita tese a indicare a chi indirizzare la risposta.

Modalità sensoriale	Visuale, auditiva e cinestesica
Obiettivo	Presentarsi e formulare domande; passato prossimo
Livello	Da A2
Nr. partecipanti	Almeno 2
Durata	Circa un quarto d'ora
Materiali	Fogli di carta e penna o pennarelli
Preparazione	-

Svolgimento

1 Ogni corsista disegna sul foglio un fiore a sei petali.

2 Su ciascun petalo riporta un'informazione che lo riguarda.

3 L'insegnante fa un esempio alla lavagna riferito alla sua persona. Immaginiamo che l'insegnante abbia scritto nei sei petali le informazioni riportate nel disegno qui sotto:

4 L'insegnante chiede agli studenti, a turno, di fargli delle domande per capire il motivo per cui ha scritto "paracadutista". Una possibile sequenza di domande:

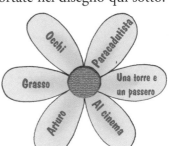

STUDENTE A: *"Sei paracadutista?"*
INSEGNANTE: *"No."*
ST. B: *"Tuo papà è un paracadutista?"*
INS.: *"No."*
ST. C: *"Da bambino volevi diventare un paracadutista?"*
INS.: *"Sì."*

5 Dopo la risposta affermativa si prosegue con un altro petalo.
Per esempio, quello in cui è contenuta l'informazione "una torre e un passero".

ST. B: *"Hai letto una poesia su una torre e un passero?"*
INS: *"No."*
ST. E: *"Hai visto un passero su una torre?"*
INS: *"No."*
ST. A: *"«Una torre e un passero» è un gioco a carte?"*
INS: *"No."*
ST. B: *"Hai visto un film che si chiama «Una torre e un passero»?"*
INS: *"No."*
ST. A: *"Hai mai sognato una torre e un passero?"*
INS: *"Sì."*

6 Si formano le coppie per dare inizio al gioco

7 In riferimento alla singola informazione contenuta in un petalo, il compagno formulerà una serie di domande polari (a cui l'altro potrà cioè rispondere solo con "sì" o "no"), fino a che non arriverà a chiedere esattamente ciò a cui si riferisce l'informazione.

8 Si continua con gli altri cinque petali, e quindi si invertono i ruoli.

Varianti Per accorciare il gioco si può sostituire il fiore a sei petali con un quadrifoglio.

1.8 Che cos'hai nella borsa?

Modalità sensoriale	Auditiva
Obiettivo	Manifestare le aspettative o esprimere un giudizio a fine corso mediante una metafora
Livello	Da B1
Nr. partecipanti	Almeno 2
Durata	Pochi minuti
Materiali	-
Preparazione	-
Svolgimento	Prima parte (*apertura*).

Per avere un'idea di quali siano le aspettative, i bisogni, gli interessi e lo stato d'animo dei corsisti, l'insegnante può invitarli a servirsi di una metafora, chiedendo loro che cosa hanno nella borsa (o nella tasca). Il suo esempio sarà chiarificatore:

"Ho una penna e dei pennarelli colorati per farvi divertire. Ho una cartellina piena di appunti e ho con me anche l'allegria e il sorriso".

Seconda parte (*finale*).
L'insegnante può servirsi della stessa metafora per sondare l'esito della lezione, e chiedere se c'è qualcosa di nuovo nella borsa (o nella tasca), se la borsa è diventata più pesante o più leggera, ecc.

Modalità sensoriale	Cinestesica, visuale
Obiettivo	Aprire o chiudere un corso facendo in modo che gli studenti si scambino apprezzamenti; favorire un clima di fiducia
Livello	Da B1
Nr. partecipanti	Il numero ideale va da 4 a 8
Durata	Circa un quarto d'ora
Materiali	Fogli, matite, colori
Preparazione	-

Svolgimento

1. Gli studenti sono seduti in cerchio.
2. L'insegnante invita ogni studente a disegnare un animale che possa rappresentarlo.
3. Dopo aver disegnato l'animale, ogni studente passa il foglio al compagno di destra, che aggiunge un commento positivo in base alle caratteristiche che l'animale può ispirare. Se per esempio è disegnato un leone, il commento potrebbe essere: *"Sei forte e simpatico"*.
4. Il foglio continua a girare e ognuno aggiunge il suo commento.
5. Quando ritorna all'autore, questi lo legge ad alta voce, parlando in prima persona.

Varianti

La scelta dell'animale può essere fatta da un compagno vicino, per esempio il compagno di destra, e il foglio fatto passare in senso contrario, in questo caso a sinistra.

1.10 Se tu...

Modalità sensoriale	Auditiva
Obiettivo	Fare conoscenza; descrivere se stessi attraverso metafore
Livello	Da B2
Nr. partecipanti	Almeno 2
Durata	Da venti minuti a mezz'ora
Materiali	Fogli bianchi e pennarelli
Preparazione	-

Svolgimento

1 Gli studenti, in coppia, si rivolgono domande e prendono appunti. Ecco alcuni esempi di domande:

a. Se tu avessi appena finito di scrivere un libro, quale sarebbe il titolo?

b. Se tu fossi appena ritornato da un viaggio, da dove arriveresti?

c. Se tu potessi scegliere un quadro che potesse descriverti, quale sarebbe?

d. Se tu potessi scegliere una musica, quale sarebbe?

e. Se tu potessi avere un ruolo in un circo, quale sarebbe?

f. Se tu avessi appena finito di scolpire una scultura, cosa rappresenterebbe?

2 Alla fine dell'intervista ciascuno presenta il compagno.

Varianti

1 La formulazione dell'ipotesi potrebbe essere fatta direttamente dal compagno:
Se tu avessi appena finito di scrivere un libro, si tratterebbe di "Via col vento".

2 Alla fine le coppie si possono riunire a due a due: ciascuno presenta il compagno all'altra coppia.

Attività per la divisione a coppie e a squadre

La divisione dei gruppi, realizzata attraverso un gioco, è un'ottima strategia affinché ogni studente possa lavorare con gli altri. La selezione viene lasciata al caso e ciò ha il vantaggio di evitare ogni sorta di discussione... Se vogliamo che due o più studenti lavorino insieme, troveremo una caratteristica a loro comune, sulla quale ci baseremo per la divisione dei gruppi e "imbroglieremo" senza che i nostri studenti se ne accorgano.

2.1 A ugual rumore...

Modalità sensoriale	Auditiva
Obiettivo	Dividere a coppie
Livello	Tutti
Nr. partecipanti	Almeno 8
Durata	Qualche minuto
Materiali	Portarullini vuoti, piccoli oggetti di vario genere
Preparazione	L'insegnante deve procurarsi tanti portarullini vuoti quanti sono gli studenti. Ogni coppia di portarullini deve contenere uno stesso materiale, es: sale grosso da cucina, acqua, una monetina, farina, riso, un pezzo di gomma, chicchi di caffè, ecc.
Svolgimento	1 In classe, l'insegnante appoggia i portarullini su un tavolo e invita ogni studente a scegliere il proprio portarullino, senza guardare cosa contiene. 2 Lo studente cammina per la stanza e forma una coppia con il compagno il cui portarullino, una volta agitato, produce lo stesso rumore.
Varianti	In alternativa ai portarullini si possono prendere i contenitori degli ovetti di cioccolato.

2.2 I foulard colorati

Modalità sensoriale	Cinestesica
Obiettivo	Dividere a coppie
Livello	Tutti
Nr. partecipanti	Almeno 8
Durata	Pochi minuti
Materiali	*Foulard* colorati
Preparazione	Un numero di *foulard* di diversi colori pari alla metà del numero degli studenti.
Svolgimento	1 Gli studenti si dispongono in cerchio attorno all'insegnante. 2 L'insegnante afferra i *foulard* nella loro metà, lasciando le estremità libere. Ha il braccio disteso verso il centro del cerchio. 3 Ogni studente deve afferrare l'estremità di un *foulard*. 4 L'insegnante rilascia i *foulard* e ciascuno trova automaticamente il suo *partner*.

2.3 Pezzi di corda

Modalità sensoriale	Cinestesica
Obiettivo	Dividere a coppie
Livello	Tutti
Nr. partecipanti	Almeno 8
Durata	Qualche minuto
Materiali	Una cordicella o un nastro
Preparazione	Tagliare la cordicella o il nastro in tanti pezzi quanti sono gli studenti. I pezzi dovranno essere a due a due di pari lunghezza.
Svolgimento	① Facendo in modo che appaiano tutti della stessa misura, l'insegnante tiene i pezzi per un'estremità, lasciando cadere l'altra.
	② L'insegnante invita ogni studente ad afferrare il capo di una cordicella, quindi rilascia la presa.
	③ Gli studenti confrontano il loro pezzo con quello dei compagni, fino a che non trovano chi ha un pezzo della stessa lunghezza.

2.4 Clap Clap

(Cecilia Barsottelli)

Modalità sensoriale	Auditiva
Obiettivo	Dividere a coppie
Livello	Tutti
Nr. partecipanti	Almeno 8
Durata	Circa cinque minuti
Materiali	Scheda 2.4 pagina 102
Preparazione	Fotocopiare la Scheda 2.4 e ritagliare tanti cartellini quanti sono gli studenti, facendo in modo di avere coppie di cartellini uguali.
Svolgimento	① L'insegnante distribuisce casualmente coppie dei cartellini in cui è espresso un ritmo: ogni pallino nero è un battimano, ogni pallino bianco una pausa.
	② Ogni studente studia il proprio ritmo e si esercita a provarlo, battendo le mani.
	③ Gli studenti dovranno passeggiare per la stanza, cercando il compagno che produce lo stesso ritmo con le mani.
Varianti	Ogni pausa può essere sostituita da un battito con il piede.

2.5 Le scarpe simili

Modalità sensoriale	Auditiva, visuale
Obiettivo	Dividere a squadre
Livello	Tutti
Nr. partecipanti	Almeno otto
Durata	Pochi minuti
Materiali	-
Preparazione	-

Svolgimento L'insegnante invita gli studenti a dividersi in gruppi a seconda della similitudine delle loro scarpe (es: tutti gli studenti che indossano scarpe da ginnastica giocano insieme).

Varianti Si possono formare le squadre o dividere gruppi anche attraverso i seguenti criteri:

- a. in base all'abbigliamento (per esempio: chi ha i pantaloni lunghi da una parte e gli altri dall'altra; oppure chi porta gli occhiali e chi no);
- b. in base alle stagioni preferite;
- c. in base al giorno di nascita (pari o dispari);
- d. in base al mese di nascita (primi sei mesi, ultimi sei mesi);
- e. in base al colore dell'auto;
- f. in base all'animale domestico preferito;
- g. in base al tipo di *hobby*;
- h. in base al colore dei capelli;
- i. in base al tipo di bibita preferita;
- l. in base al colore degli occhi;
- m. in base al numero civico di casa (pari o dispari);
- n. in base al luogo di vacanza preferito (mare, montagna, città d'arte);
- o. in base alla preferenza sul cibo (dolce, salato).

2.6 Scegli il numero

(Cecilia Barsottelli)

Modalità sensoriale	Auditiva
Obiettivo	Dividere a coppie
Livello	A1
Nr. partecipanti	Almeno 6
Durata	Pochi minuti
Materiali	-
Preparazione	-

Svolgimento

① L'insegnante dà la consegna alla classe: *"Avete un minuto di tempo per assegnare ad ognuno di voi un numero differente dagli altri e compreso tra 1 e ... (il numero degli studenti)"*.

② L'insegnante esce dalla classe per un minuto in attesa che gli studenti si mettano d'accordo sull'assegnazione dei numeri e, una volta rientrato/a, scrive i numeri alla lavagna, disponendoli su due colonne.

③ Incrocia i numeri a caso con delle frecce e invita gli studenti a sedersi con i propri compagni.

Es. (con dieci studenti):

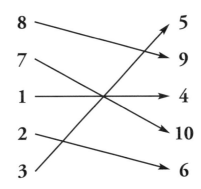

2.7 L'operazione

(Cecilia Barsottelli)

Modalità sensoriale	Auditiva, visuale
Obiettivo	Dividere a coppie
Livello	A1-A2
Nr. partecipanti	Almeno 6
Durata	Qualche minuto
Materiali	Una busta o un sacchetto, Scheda 2.7 pagina 103
Preparazione	Fotocopiare la Scheda 2.7. Scegliere quali cartellini usare in base al livello della propria classe. Ritagliare tante coppie di cartellini quante sono le coppie di studenti che si vogliono formare e inserire i cartellini in una busta.
Svolgimento	① Ogni studente estrae un cartellino dalla busta. ② Ogni studente gira per la classe alla ricerca del compagno che ha il cartellino corrispondente al suo (es. lo studente che ha pescato "Regista" dovrà cercare l'altro studente che nella classe ha il cartellino con sopra scritto "Fellini"). ③ È vietato far vedere il proprio cartellino.

2.8 I versi degli animali

(Cecilia Barsottelli)

Modalità sensoriale	Auditiva
Obiettivo	Divisione a coppie
Livello	A1
Nr. partecipanti	Almeno 8
Durata	Pochi minuti
Materiali	Scheda 2.8 pagina 104, buste.
Preparazione	Fotocopiare la Scheda 2.8, ritagliare tante coppie di cartellini quante sono le coppie di studenti che si vogliono formare e inserirne ognuno in una busta.
Svolgimento	① L'insegnante consegna una busta ad ogni studente. ② Dopo aver visto il cartellino, lo studente lo ripone nella busta. ③ Gli studenti si muovono per la stanza sussurrando all'orecchio dei compagni il verso del proprio animale. ④ Gli studenti che imiteranno il verso dello stesso animale formeranno una coppia.
Varianti	Gli studenti possono mimare gli animali, anziché fare il verso, oppure uno fa il verso e l'altro mima.
Consigli	È particolarmente adatto per i bambini.

Attività didattiche: lessico

Questi giochi hanno l'obiettivo di ripetere, esercitare, fissare il lessico introdotto nella lezione, in modo che il movimento e l'atmosfera ludica aiutino la memorizzazione.

3.1.1 Si alzino tutti quelli che...

Modalità sensoriale	Cinestesica, auditiva
Obiettivo	Ripasso dei vocaboli relativi alle parti del corpo e ai vestiti
Livello	Tutti
Nr. partecipanti	Almeno 6
Durata	Circa venti minuti
Materiali	-
Preparazione	-
Svolgimento	

1. Si fanno sedere gli studenti in cerchio.
2. L'insegnante, nel mezzo, pronuncia la frase: *"Si alzino tutti quelli che..."*, e la completa con un dettaglio fisico o un capo di abbigliamento che accomuna più studenti (es: *"che indossano i jeans"*; *"che hanno i capelli corti"*; *"che hanno i sandali"*; *"che portano gli occhiali"*; ecc.), quindi conclude dicendo: *"e si scambino di posto!"*
3. L'insegnante cerca di occupare rapidamente uno dei posti lasciati liberi.
4. Lo studente che rimane in piedi deve continuare il gioco, scegliendo un nuovo dettaglio. A questo punto è bene che l'insegnate si ritiri (tolga dal cerchio la sua sedia) e affidi il gioco alla classe.

3.1.2 Pallavolo

Modalità sensoriale	Cinestesica, auditiva
Obiettivo	Ripasso dei termini che appartengono ad un dato ambito lessicale
Livello	Tutti
Nr. partecipanti	Almeno 6
Durata	Da dieci minuti a mezz'ora
Materiali	Un palloncino, dei *foulard* (o più semplicemente una corda)
Preparazione	Preparare una rete divisoria annodando insieme dei *foulard* o usando una corda, gonfiare il palloncino colorato.

Svolgimento

1. Si formano due squadre di tre o quattro membri al massimo.
2. Si dispongono le due squadre all'interno di un immaginario campo di pallavolo diviso a metà dalla corda o dai *foulard* annodati.
3. Si spiegano le regole della pallavolo:
    a. dopo due passaggi bisogna mandare il palloncino oltre la rete, pena la perdita di un punto;
    b. se il palloncino cade per terra, il punto è assegnato all'altra squadra.
4. Si presentano due nuove regole:
    a. ogni volta che la palla passa oltre la rete, lo studente deve scandire un vocabolo della serie scelta dall'insegnante.
    b. Quando si sbaglia il passaggio oppure si scandisce un vocabolo già detto o estraneo alla serie considerata, viene assegnato un punto alla squadra avversaria.
5. L'insegnante dà inizio alla partita, dicendo a voce alta un iperonimo, cioè una parola di significato generico ed esteso (es.: "macchina") e lancia la palla. Ad ogni passaggio gli studenti devono dire un termine collegato alla parola "macchina": *"finestrino"*; *"ruota"*; *"fiat"*; *"benzina"*; *"turbo"*, ecc.
6. Quando i termini che appartengono ad un campo lessicale si esauriscono, l'insegnante rilancia la palla e assegna un nuovo iperonimo (es.: "scuola", "cinema", "frutta", ecc.).
7. Vince la squadra che ottiene più punti in un tempo stabilito.

Consigli

Il palloncino, a differenza di una palla qualsiasi, non può essere lanciato velocemente: gli studenti hanno così più tempo per riflettere.

3.1.3 Lanciarsi la pallina

Modalità sensoriale	Cinestesica
Obiettivo	Ripasso dei termini che appartengono ad un dato ambito lessicale
Livello	Tutti
Nr. partecipanti	Almeno 4
Durata	Cinque, dieci minuti
Materiali	Una pallina di gomma o di stoffa
Preparazione	-
Svolgimento	1 L'intera classe è in piedi, in cerchio.
	2 Gli studenti si lanciano la pallina, guardandosi negli occhi, e pronunciano un termine che appartiene all'ambito lessicale di volta in volta designato dall'insegnante (ad es.: i numeri, le parti del corpo, la coniugazione di un verbo, ecc.).
	3 Chi commette un errore o lascia cadere la pallina, esce dal gioco oppure continua a lanciare la pallina senza più scandire alcun vocabolo.
	4 Vince l'ultimo studente che rimane in gioco.
Consigli	È necessario sottolineare l'importanza del contatto visivo tra chi lancia e chi riceve.
Varianti	Il gioco può risultare più divertente se l'insegnante fa circolare più palline, una a una distanza di tempo dall'altra.

3.1.4 Pictionary

Modalità sensoriale	Visuale, cinestesica
Obiettivo	Ripasso dei termini che appartengono ad un dato ambito lessicale
Livello	Tutti
Nr. partecipanti	Almeno 6
Durata	Circa mezz'ora
Materiali	Carta e penna
Preparazione	-
Svolgimento	1 Si formano due squadre.
	2 Ciascuna squadra sceglie cinque sostantivi e li scrive su cinque foglietti.
	3 Un giocatore della squadra A prende un foglietto scritto dalla squadra B. Il suo compito è di disegnare la parola in assoluto silenzio (e naturalmente senza poterla mostrare alla sua squadra).
	4 I compagni di squadra di chi disegna devono, entro un tempo limite, indovinare di che parola si tratta.
	5 Le prove si svolgono a turno. Vince la squadra che riesce ad indovinare più parole.

3.1.5 Che cos'è?

Modalità sensoriale	Cinestesica
Obiettivo	Ripasso di termini che indicano una serie di oggetti scelti dall'insegnante
Livello	Tutti
Nr. partecipanti	Almeno 4
Durata	Circa venti minuti
Materiali	Un sacco; vari oggetti
Preparazione	Sistemare alcuni oggetti, di cui gli studenti conoscono il nome, dentro ad un sacco (vestiti, frutta di plastica, oggetti di piccole dimensioni di vario genere, ecc.).
Svolgimento	1 Si formano due squadre.
	2 Un membro di una squadra afferra un oggetto dal sacco e, senza guardarlo e tenendolo nel sacco, lo tasta per cercare di capire di cosa si tratta.
	3 L'oggetto viene tastato da tutti gli altri membri della squadra nella stessa maniera.
	4 I giocatori della stessa squadra hanno un tempo limite entro cui toccare l'oggetto e consultarsi per decidere cosa sia.
	5 Scaduto il tempo a disposizione la squadra dice che oggetto è.
	6 L'oggetto viene mostrato e l'altra squadra decide se assegnare il punto.
	7 In caso di controversie si può consultare l'insegnante.
	8 Vince la squadra che indovina più oggetti.

3.1.6 La mucca

Modalità sensoriale	Visuale, cinestesica
Obiettivo	Ripassare numeri e parti del corpo (di un animale)
Livello	A1
Nr. partecipanti	Almeno 2
Durata	Dieci minuti
Materiali	Fogli bianchi, penne, dadi
Preparazione	-

Svolgimento

1. L'insegnante forma coppie o piccoli gruppi. Ogni studente ha un foglio e una penna.
2. A turno gli studenti devono tirare un dado. Ogni numero rappresenta la parte di una mucca:
   - il numero 1: le corna;
   - il numero 2: il busto;
   - il numero 3: il muso, le orecchie, il naso;
   - il numero 4: la coda;
   - il numero 5: le zampe;
   - il numero 6: gli occhi.
3. Lo studente disegna sul foglio la parte della mucca corrispondente al numero uscito.
4. Nel caso ad uno studente capitasse uno stesso numero per la seconda volta, il turno passa al compagno. Vince chi disegna la mucca per primo.

Varianti È un gioco particolarmente adatto a classi di bambini.

3.1.7 I multipli

Modalità sensoriale	Auditiva
Obiettivo	Ripassare i numeri
Livello	A1
Nr. partecipanti	Almeno 8; ideale per gruppi numerosi
Durata	Circa dieci minuti
Materiali	-
Preparazione	-

Svolgimento

1. Gli studenti si dispongono in cerchio.
2. L'insegnante scrive alla lavagna un numero a scelta tra i seguenti: 3, 4, 5, 6, 7, 8, 9.
3. Uno studente dice "zero", quello successivo "uno", e così via.
4. Quando si arriva al numero scritto alla lavagna, lo studente di turno, anziché pronunciarlo, deve dire *Bum!* E così si deve dire ad ogni multiplo del numero.
5. Chi per sbaglio dice il numero o il multiplo anziché *bum!*, può essere fatto uscire dal cerchio oppure lasciato all'interno ma senza più il diritto di parola.

Consigli

Per i più piccoli, che non sanno moltiplicare, si possono abbinare le onomatopee ad alcuni numeri (si dice per esempio *bim!* per tutti i numeri che terminano con lo zero, *bum!* per quelli che terminano con quattro, *bam!* per quelli che terminano con otto).

Varianti

1. Invece di *bum!* si può usare un'altra onomatopea.
2. Si può dire *bum!* ogni volta che una cifra termina col numero scritto alla lavagna e ad ogni multiplo del numero. Es con 7: bum – 22 – 23 – 24 – 25 – 26 – *bum* – *bum* – 29 – 30...
3. Si possono anche scegliere due numeri: ai multipli dell'uno si dirà *bum!*, ai multipli dell'altro si dirà *bam!*

3.1.8 I numeri arrabbiati

(Marisa Frangipane)

Modalità sensoriale	Auditiva
Obiettivo	Memorizzare i numeri; prestare attenzione alla componente paralinguistica del linguaggio
Livello	A1
Nr. partecipanti	Almeno 3
Durata	Da dieci a venti minuti
Materiali	-
Preparazione	-

Svolgimento

1. L'insegnante scrive alla lavagna tre intervalli di numeri, per esempio i numeri compresi tra trenta e sessanta. Scrive cioè 30-40; 40-50; 50-60.
2. L'insegnante scrive alla lavagna tre situazioni emotive, per esempio: *la gioia dell'incontro, lo scoppio del litigio, la riconciliazione,* sotto ad ogni intervallo di numeri.
3. Si formano gruppi di tre studenti.
4. In ogni gruppo uno studente deve dire i numeri compresi nella prima parte dell'intervallo (da trenta a quaranta), cercando di esprimere la prima emozione (la gioia dell'incontro).
5. Il secondo, la seconda parte dell'intervallo (da quarantuno a cinquanta) cercando di manifestare la seconda emozione (lo scoppio del litigio).
6. Il terzo conclude con la terza parte (da cinquantuno a sessanta) provando a manifestare l'emozione relativa (la riconciliazione).

Consigli

Si possono rappresentare anche altre situazioni emotive, quali: gioia, rabbia, allegria, timidezza, stanchezza, ecc.

3.1.9 Apparecchiare la tavola

Modalità sensoriale	Auditiva e cinestesica
Obiettivo	Ripetere il lessico relativo alle posate
Livello	A1-A2
Nr. partecipanti	Almeno sei
Durata	Circa dieci minuti
Materiali	Piatti e posate di plastica
Preparazione	L'insegnante apparecchia la tavola con piatti, bicchieri e posate.

Svolgimento

1. Apparecchiare una tavola con un "coperto" in meno.
2. Appoggiare la tavola contro il muro, gli studenti stanno in piedi al lato opposto.
3. L'insegnante scandisce un vocabolo relativo ad un oggetto presente sulla tavola e gli studenti devono correre a prenderlo.
4. Visto che il numero degli oggetti è inferiore al numero degli studenti, uno studente resterà a mani vuote e prenderà un punto di penalità.
5. Vince lo studente che, alla fine del gioco, avrà preso meno punti di penalità.

Modalità sensoriale	Cinestesica
Obiettivo	Ripetere il lessico dei cibi
Livello	A1-A2
Nr. partecipanti	Almeno sei
Durata	Circa un'ora
Materiali	Piatti di carta e pennarelli colorati
Preparazione	-

Svolgimento

1. Dividere la classe in tre gruppi.
2. Su piatti di carta, il primo gruppo disegna tutti i primi piatti italiani conosciuti, il secondo tutti i secondi e i contorni, il terzo gli antipasti e i dolci.
3. Ogni gruppo cercherà di indovinare quante più pietanze disegnate dagli altri gruppi.
4. I piatti di carta con i disegni delle varie pietanze possono essere attaccati alla parete, formando un menù colorato.

Varianti

1. Ciascuno disegna un piatto da associare ai compagni. In una discussione finale dovrà motivare la propria scelta.
2. In una classe plurilingue, l'insegnante può invitare gli studenti a disegnare piatti tipici del loro paese d'origine.

Consigli

L'attività si può concludere con un gioco di ruolo, "al ristorante", con camerieri, clienti e i piatti disegnati.

3.1.11 Domino

(Cecilia Barsottelli)

Modalità sensoriale	Visuale, cinestesica
Obiettivo	Migliorare la conoscenza della geografia italiana
Livello	A1-A2
Nr. partecipanti	Almeno 4
Durata	Circa venti minuti
Materiali	Scheda 3.1.11 pagina 105 - 106, buste
Preparazione	Fotocopiare la Scheda 3.1.11, ritagliare i cartellini e metterli tutti mischiati in una busta. Ripetere l'operazione fino a realizzare tante buste quante sono le squadre che si vogliono creare.
Svolgimento	1 Dividere la classe in squadre e farle disporre in zone diverse dell'aula.
	2 Dare ad ogni squadra una busta piena di cartellini.
	3 Far svuotare sul pavimento ad ogni squadra la propria busta.
	4 Ciascuna squadra dovrà rimettere in ordine i cartellini sistemando ogni *Capoluogo* a contatto con la *Regione* corrispondente.
	5 Quando una squadra pensa di aver finito chiama l'insegnante che controlla la disposizione dei cartellini.
	6 Se la disposizione è giusta l'insegnante decreta la squadra vincitrice, se invece è errata comunica alla squadra che la soluzione non è esatta ed il gioco continua.
	7 Ogni squadra può chiamare l'insegnante a controllare tutte le volte che vuole.
Varianti	Si possono realizzare (o far realizzare agli studenti stessi) schede con immagini al posto delle parole.

3.1.12 Che dolore!

Modalità sensoriale	Cinestesica, auditiva
Obiettivo	Ripasso dei vocaboli riferiti alle parti del corpo
Livello	A1-B1
Nr. partecipanti	Almeno sei
Durata	Pochi minuti
Materiali	-
Preparazione	-
Svolgimento	1 Gli studenti sono seduti in cerchio.
	2 L'insegnante fissa uno studente e dice: *"Ahi, ahi, ahi! Che mal di testa!"*. Nel frattempo si tocca una parte del corpo diversa da quella dolorante, per esempio la spalla.
	3 Lo studente sceglie un'altra parte del corpo e dice per esempio: *"Ahi, ahi, ahi! Che mal di pancia!"* e si tocca la parte dolorante del giocatore precedente: la testa.
	4 Il terzo potrebbe dire: *"Ahi, ahi, ahi! Che mal di denti!"*, toccandosi la pancia, e così via.
	5 È escluso dal gioco chi ripete una parte già detta o si tocca una parte sbagliata.
Consigli	È bene che la classe si eserciti parecchie volte, prima di cominciare effettivamente a giocare.

3.1.13 Ci vuole un fisico bestiale

(Ciro Mazzotta)

Modalità sensoriale	Cinestesica, visuale, auditiva
Obiettivo	Ripassare le parti del corpo
Livello	A1-B1
Nr. partecipanti	Almeno 6
Durata	Circa venti minuti
Materiali	Un sacchetto, Scheda 3.1.13 pagina 107
Preparazione	Fotocopiare la Scheda 3.1.13, ritagliare i cartellini e metterli nel sacchetto.

Svolgimento

1. Si formano due squadre, escludendo uno studente.
2. Si dispongono le squadre su due file, una di fronte all'altra. Lo studente escluso sta nel mezzo, in piedi.
3. Si numerano i membri di ogni squadra, in modo che ci siano coppie di concorrenti (due numeri *uno*, due numeri *due*, ecc.).
4. Allo studente che sta nel mezzo viene consegnato il sacchetto in cui sono contenuti i diversi cartellini.
5. Lo studente deve: a) estrarre un cartellino; b) leggere a voce alta la parte del corpo riportata; c) chiamare un numero, a cui corrisponde una coppia di giocatori avversari.
6. Questi devono correre velocemente verso lo studente al centro; viene assegnato un cartellino a chi tra i due tocca per primo la parte del corpo dello studente al centro appena pronunciata.
7. In caso di errore, il cartellino va alla squadra avversaria.
8. Vince la squadra che, al termine, ha collezionato più cartellini.

Varianti

Si possono evitare i cartellini e affidare allo studente che sta nel mezzo la libera scelta delle parti del corpo. In questo caso vengono assegnati dei punti.

Consigli

Se si presenta un numero pari di studenti, si possono escludere due partecipanti dalla formazione delle squadre: uno sta nel mezzo, mentre l'altro estrae e legge i cartellini.

Questo gioco è adatto a gruppi per i quali il contatto fisico non costituisce una fonte di imbarazzo.

3.1.14 Cerca la parola

Modalità sensoriale	Auditiva
Obiettivo	Ripasso dei termini che appartengono ad un dato ambito lessicale
Livello	Da A2
Nr. partecipanti	Almeno 6
Durata	Circa venti minuti
Materiali	-
Preparazione	-

Svolgimento

1. Si formano due squadre, A e B.
2. I componenti della squadra A vengono fatti uscire, eccetto uno.
3. La squadra B sceglie una parola, per esempio "vacanza".
4. Il componente della squadra A rimasto in classe deve pensare a cinque termini associabili al vocabolo scelto dalla squadra avversaria. Nel nostro caso potrebbero essere: "mare", "montagna", "ferie", "riposo", "gelato".
5. Gli altri giocatori della squadra A vengono fatti rientrare in classe. L'insegnante comunica qual è la parola scelta dalla squadra B.
6. Compito dei giocatori della squadra A è indovinare le cinque parole scelte dal compagno attraverso domande polari (cioè la cui risposta può essere solo *sì* o *no*). Il tempo concesso è di due minuti.

Consigli Non si può ricorrere al mimo.

3.1.15 Che lavoro fa?

(Cecilia Barsottelli)

Modalità sensoriale	Visuale, cinestesica
Obiettivo	Ripassare il lessico relativo ai mestieri
Livello	A2-B1
Nr. partecipanti	Almeno 8
Durata	Circa mezz'ora
Materiali	Scheda 3.1.15 pagina 108
Preparazione	Fotocopiare la scheda e ritagliare i cartellini.

Svolgimento

1. Formare due squadre (A e B) di almeno quattro studenti.
2. Un giocatore della squadra A prende un cartellino e cerca di mimare il mestiere. Non può parlare né emettere alcun suono.
3. I suoi compagni devono indovinare il mestiere e poi rispondere, entro un tempo limite, a tre domande scritte alla lavagna:

   > a. *Dove lavora?*
   > b. *Cosa usa per il suo lavoro?*
   > c. *Quali sono i suoi orari di lavoro?*

4. Il punteggio è di:
   +2 se si indovina il mestiere;
   +1 ad ogni risposta esatta ed espressa correttamente.
5. Vince la squadra che alla fine ha più punti.

Varianti

1. Si possono sostituire i mestieri con gli sport.
   Una volta indovinato lo sport, le domande possono essere:

   > a. *Dove si pratica questo sport?*
   > b. *Cosa si indossa per giocare a …?*
   > c. *Cosa si usa per praticare questo sport?*

2. Si può portare in classe un lenzuolo, dietro al quale avviene il mimo in controluce. In tal modo l'interpretazione costituirà una sfida maggiore.
   Il gioco è possibile anche senza cartellini: gli studenti sceglieranno da soli la professione o lo sport da mimare.

3.1.16 Il rischio

Modalità sensoriale	Auditiva e visuale
Obiettivo	Ripetizione di uno o più campi lessicali; verifica
Livello	Da B1
Nr. partecipanti	Almeno due
Durata	Da quaranta minuti ad un'ora
Materiali	Schede 3.1.16 pagine 109 - 110, *post-it*
Preparazione	Fotocopiare e ingrandire il cartellone (Scheda A). Coprire tutte le caselle relative ai quesiti con i *post-it*. Fotocopiare le domande introduttive (Scheda B), le risposte (Scheda C) e le domande per i *Rischi* (Scheda D).

Svolgimento

1. L'insegnante divide la classe in due o più squadre. Per ogni squadra deve essere nominato un capitano.

2. L'insegnante tira a sorte e sceglie la squadra che comincia per prima.

3. Ad ogni squadra vengono rivolte otto domande introduttive (Scheda B), alle quali solo il capitano può rispondere, dopo essersi consultato con i compagni. Ad ogni risposta corretta la squadra guadagna 100 Euro virtuali. La somma totale raggiunta costituisce il *budget* da giocare nella fase successiva.

4. L'insegnante invita il capitano, la cui squadra dispone del *budget* maggiore, a scegliere un quesito nel cartellone (Scheda A) specificando la materia (per esempio: Geografia) e l'importo (per esempio: 300 Euro).

5. L'insegnante quindi scopre il quesito, lo legge e attende la risposta (tempo massimo: trenta secondi).

6. Se fornisce la risposta esatta (Scheda C), la squadra vince l'importo stabilito e sceglie un nuovo quesito; in caso contrario, perde la somma giocata: il turno passa a quella che, tra tutte, possiede il *budget* maggiore. Quando si trova il *Jolly* si vince automaticamente la somma giocata senza dover rispondere ad alcuna domanda; con il *Rischio* invece si deve scegliere un importo che si vince o perde a seconda se si sarà risposto in modo corretto o meno. Il concorrente che trova il *Rischio* può giocare fino al totale del suo capitale.

7. Viene dichiarata vincitrice la squadra che detiene la somma maggiore alla fine del gioco.

Varianti Si possono decidere altre materie (e quindi altri quesiti) a seconda dell'obiettivo della verifica.

Attività didattiche: morfosintassi

Giochi per esercitare determinate forme, favorendone la memorizzazione in modo piacevole.

3.2.1 Il guado del ruscello

(Martina Lohmann)

Modalità sensoriale	Visuale, cinestesica
Obiettivo	Comprendere e fissare formule interrogative
Livello	A1
Nr. partecipanti	Da 2 a 12
Durata	Un quarto d'ora
Materiali	Scheda 3.2.1 pagina 111
Preparazione	Fotocopiare la Scheda 3.2.1 (meglio se in formato più grande) e ritagliare i cartellini. Una volta in classe disporre i cartellini sul pavimento rispettando lo schema.

Svolgimento

1. L'insegnante divide la classe in due squadre.
2. Nomina un caposquadra per ogni squadra.
3. Dispone le squadre (esclusi i due caposquadra) su rive opposte di un immaginario fiume.
4. L'insegnante spiega agli studenti che i cartellini al centro (le risposte) rappresentano sassi che permettono di attraversare un ruscello, mentre quelle ai lati (le domande) costituiscono le rive del ruscello.
5. L'obiettivo dell'attività è quello di guadagnare la riva opposta, saltando di sasso in sasso.
6. I capisquadra scelgono a turno una domanda e la rivolgono ad uno studente della propria squadra.
7. Lo studente a cui è stata rivolta la domanda deve spostarsi sul sasso che contiene una possibile risposta scegliendo solamente tra i sassi adiacenti alla sua posizione, sia in avanti che indietro che lateralmente.
8. Attraverso le domande successive, lo studente ha modo di spostarsi, sempre purché la risposta sia contenuta in un sasso adiacente.
9. Ogni domanda dev'essere posta dal caposquadra ad un membro diverso della squadra. Una volta completato il giro potrà iniziare con il secondo turno di domande.
10. Il concorrente deve tornare a riva e ricominciare il percorso:
    a. se il caposquadra pone una domanda che non ha risposta su un sasso adiacente a quello su cui si trova lo studente;
    b. se la risposta porta il concorrente sul sasso occupato da un avversario.
11. Il caposquadra può dire, quando vuole, *"passo"* e lasciare il concorrente nella posizione in cui è.
12. Vince la squadra che, con tutti i compagni, raggiunge la riva opposta.

Varianti Anziché dai capisquadra, le domande possono essere poste dall'insegnante.

3.2.2 Una valigia fantastica

Modalità sensoriale	Auditiva
Obiettivo	Accordo sostantivi-aggettivi; i colori
Livello	A2
Nr. partecipanti	Almeno 4
Durata	Circa un quarto d'ora
Materiali	-
Preparazione	-

Svolgimento

1. L'insegnante disegna alla lavagna una valigia. Dice agli studenti che essa può contenere ogni genere di cose, anche oggetti enormi o fantastici.

2. Scrive alla lavagna la frase: "*Vado in vacanza e nella mia valigia ci metto...*", e la completa con: aggettivo qualificativo + sostantivo + un colore.

   Es.: "*Vado in vacanza e nella valigia ci metto un <u>bellissimo</u> <u>cavallo</u> <u>bianco</u>*".

3. Uno studente è invitato a ripetere la frase alla terza persona: "*Paolo va in vacanza e nella sua valigia ci mette un bellissimo cavallo bianco*", aggiungendo ciò che lui vorrà portare con sé: "*Anch'io vado in vacanza e nella mia valigia ci metto ....*", e così via.

Varianti Lo studente mima l'oggetto e pronuncia l'aggettivo: i compagni devono indovinare di cosa si tratta.

3.2.3 Il gioco del P.P.P.
(Pensa il Passato Prossimo)

(Cecilia Barsottelli)

Modalità sensoriale	Cinestesica, auditiva
Obiettivo	Fissare i participi
Livello	A2
Nr. partecipanti	Almeno 8
Durata	Circa quaranta minuti
Materiali	Scheda 3.2.3 pagina 112
Preparazione	Fotocopiare la Scheda 3.2.3 e ritagliare i cartellini.

Svolgimento

1. Ad ogni studente vengono consegnati tre cartellini e assegnato il compito di scrivere tre frasi con i verbi riportati in essi al passato.

2. Si formano due squadre di almeno quattro studenti.

3. Ciascuna squadra si dispone in cerchio in modo che ogni membro possa essere aiutato a rivedere le frasi: il numero uno legge la sua prima frase ai compagni, che ne giudicano la correttezza, quindi il numero due, e via di seguito. Quando si ritorna al numero uno, questi legge la sua seconda frase, e così via.

4. Nel frattempo l'insegnante scrive alla lavagna le regole del punteggio:

    + 1 se si individua il participio;
    - 1 se nella domanda viene individuato un errore;
    - 1 se si parla in lingua madre.
    Si parte da + 10.

5. Si lancia il gioco. Le squadre vengono disposte lungo due pareti opposte dell'aula e viene deciso chi inizia per primo.

6. Se tocca alla prima squadra, il numero uno della squadra A sceglie la frase da dire al numero uno della squadra B, al posto del participio dovrà però usare un'onomatopea suggerita dall'insegnante, per esempio: *"Ieri mio fratello ha **toc toc** i pantaloni che si erano strappati!"* [soluzione: *cucito*]

7. Lo studente della squadra B ha venti secondi per indovinare il participio ed eventualmente correggere la frase, consultandosi con la propria squadra.

8. Vince la squadra che, al termine del gioco, ha ottenuto più punti.

3.2.4 Quanto ne vuoi?

Modalità sensoriale	Cinestesica, visuale
Obiettivo	Ripassare il *ne* partitivo
Livello	A2
Nr. partecipanti	Almeno 6
Durata	Circa dieci minuti
Materiali	Scheda 3.2.4 pagina 113, buste
Preparazione	Fotocopiare la Scheda 3.2.4 e ritagliare i cartellini chiari (le domande) e i cartellini scuri (le risposte) in doppia o tripla copia (a seconda che giochino due o tre squadre). Ogni mazzo di cartellini chiari e scuri va inserito in buste distinte.
Svolgimento	① L'insegnante forma due o più squadre di almeno tre studenti.
	② Consegna a ciascuna squadra una busta con i cartellini chiari e una con i cartellini scuri.
	③ Al via dell'insegnante ogni squadra apre le buste e cerca di realizzare le giuste combinazioni tra cartellini chiari e cartellini scuri.
	④ Vince la squadra che finisce per prima.

3.2.5 In cerca di chi...

Modalità sensoriale	Auditiva
Obiettivo	Esercitare la forma interrogativa; formulare perifrasi
Livello	Da A2
Nr. partecipanti	Almeno 4
Durata	Circa venti minuti
Materiali	Scheda 3.2.5 pagina 114
Preparazione	Fotocopiare una Scheda 3.2.5 per ogni studente.
Svolgimento	① L'insegnante consegna ad ogni studente una scheda da compilare.
	② Invita ogni studente a camminare liberamente per la stanza e a rivolgere ai compagni domande che abbiano per oggetto le informazioni contenute nel foglio. Non è possibile però ripetere le parole scritte.
	③ Se per esempio fosse scritto ROMANZO ROSA, potranno domandare: *"Hai mai letto una storia d'amore?"* ma non potranno formulare domande del tipo: *"Hai mai letto un romanzo rosa?"* oppure: *"Hai mai letto un romanzo d'amore?"*
	④ Nel caso l'intervistatore ripetesse una parola presente nel foglio, l'intervistato deve rifiutarsi di rispondere.
	⑤ Vince lo studente che, entro un tempo limite (che varia a seconda delle dimensioni della classe), riesce a scrivere più nomi sulla sua scheda.
Consigli	È consentito aiutarsi con il mimo.

3.2.6 Indovina la frase

(Maddalena Angelino)

Modalità sensoriale	Visuale
Obiettivo	Riconoscere ed utilizzare categorie grammaticali; formulare perifrasi; chiedere chiarimenti
Livello	Da B1
Nr. partecipanti	Almeno 6
Durata	Da venti a quaranta minuti
Materiali	-
Preparazione	L'insegnante sceglie una frase da far ricostruire agli studenti. Predispone un foglio come al punto 5.

Svolgimento

1. L'insegnante divide la classe in due squadre, A e B.
2. Il gruppo A siede dando le spalle alla lavagna.
3. L'insegnante scrive in modo chiaro una frase alla lavagna.
4. Il gruppo B ha la possibilità di leggere la frase alla lavagna e si prepara a dare spiegazioni al gruppo A.
5. Il gruppo A nel frattempo riceve il foglio preparato dall'insegnante, con gli spazi predisposti per ogni parola della frase. Ad esempio (per una frase di 9 parole):

    1_____ 2_____ 3_____ 4_____ 5_____ 6_____ 7_____ 8_____ 9_____

6. Il gruppo B fornisce indicazioni utili affinché il gruppo A riesca a ricostruire la frase. Si può cominciare da qualsiasi parola, anche se è consigliabile iniziare da quelle più facili. Tutte le strategie sono accettabili (ricorso a sinonimi, uso di perifrasi, descrizione della natura grammaticale dei vocaboli, ecc.), purché non vengano utilizzate, ovviamente, le parole presenti nella frase.

3.2.7 I dieci comandamenti

(Gisela Irene Reynoso Méndez)

Modalità sensoriale	Visuale, cinestesica
Obiettivo	Sviluppare la produzione scritta, ripetere l'imperativo
Livello	Da B1
Nr. partecipanti	Almeno 4
Durata	Circa venti minuti
Materiali	Scheda 3.2.7 pagina 115, un cartellone, pennarelli
Preparazione	Fotocopiare la Scheda 3.2.7 in un numero pari circa al doppio degli studenti.

Svolgimento

1. Presentare alla classe l'immagine di Mosè con le Tavole della Legge (sulla Scheda 3.2.7).
2. L'insegnante racconta agli studenti che alcuni archeologi hanno effettuato una scoperta straordinaria: hanno trovato nuove Tavole della Legge, con comandamenti diversi da quelli tradizionali.
3. Fornisce ad ogni studente una fotocopia della Scheda 3.2.7, invitandolo a redigere il nuovo Decalogo.
4. Divide poi gli studenti in coppia: ad ogni coppia l'insegnante fornisce una nuova fotocopia della Scheda 3.2.7.
5. Ogni coppia deve formare una lista comune di dieci comandamenti.
6. L'insegnante forma dunque gruppi di quattro: ad ogni gruppo fornisce una nuova fotocopia della Scheda 3.2.7.
7. Ogni gruppo deve formare una nuova lista comune di dieci comandamenti.
8. Ogni gruppo (o anche l'intera classe insieme) stende infine la propria lista su un cartellone, ordinando i comandamenti condivisi secondo un criterio di priorità.

Consigli

L'insegnante può stimolare gli studenti a usare un linguaggio positivo: "rispetta la natura" anziché "non inquinare".

53 *Giochi senza frontiere*

3.2.8 Dialogo a catena

Modalità sensoriale	Visuale, auditiva
Obiettivo	Ripassare l'uso dei pronomi doppi
Livello	B2
Nr. partecipanti	Almeno 2
Durata	Circa dieci minuti
Materiali	Scheda 3.2.8 pagina 116
Preparazione	Fotocopiare la Scheda 3.2.8 e ritagliare le battute.
Svolgimento	1 Distribuire a caso le battute, in modo che ogni studente ne abbia almeno una.
	2 L'insegnante legge la battuta iniziale del dialogo.
	3 Continua chi ha la battuta successiva, completandola con il pronome doppio adeguato, e così via. Nel caso di dubbio o di errore, lo studente può contare sul supporto della classe.
	4 Alla fine si potrà ripetere il dialogo inscenando la situazione.
Consigli	Se il numero degli studenti supera quello dei cartellini previsti, alcuni studenti lavorano in coppia.

3.2.9 Catena di ipotesi

Modalità sensoriale	Visuale
Obiettivo	Esercitare il periodo ipotetico
Livello	B2
Nr. partecipanti	Almeno 4
Durata	Dieci minuti, un quarto d'ora
Materiali	-
Preparazione	-
Svolgimento	1 L'insegnante scrive alla lavagna la prima parte di un'ipotesi possibile: *Se avessi più tempo.*
	2 Invita uno studente a completare l'ipotesi (es.: *farei più sport*).
	3 L'insegnante riprende la conseguenza scritta dallo studente e formula una nuova ipotesi (es.: *Se facessi più sport*).
	4 Un altro studente la completa. E così via.

Modalità sensoriale	Visuale, auditiva
Obiettivo	Esercitare il condizionale o il futuro
Livello	Da B2
Nr. partecipanti	Almeno 6
Durata	Mezz'ora, quaranta minuti
Materiali	Scheda 3.2.10 pagina 117
Preparazione	Fotocopiare e ingrandire i due disegni della Scheda 3.2.10.

Svolgimento

1. L'insegnante scrive alla lavagna la domanda:
   "Quando eri piccolo, cosa immaginavi di diventare da grande?".
2. L'insegnante fa un esempio personale: *"Io da piccolo volevo diventare…"*.
3. L'insegnante raccoglie le risposte degli studenti e le scrive alla lavagna, in colonna. Nel caso due studenti esprimano una stessa preferenza, invita uno dei due a scegliere una professione alternativa.
4. L'insegnante mostra il primo disegno della sheda 3.2.10 della mongolfiera che sorvola il deserto. Indica i passeggeri e ne disegna altri fino a raggiungere il numero degli studenti.
5. L'insegnante spiega agli studenti che devono immaginare di svolgere la professione dichiarata al punto 3. Insieme costituiscono una compagnia di amici in vacanza sulla mongolfiera.
6. Improvvisamente però l'insegnante mostra il disegno 2. La mongolfiera ora sta perdendo quota e sta per atterrare nel deserto. Se due membri dell'equipaggio venissero lasciati nel deserto, la mongolfiera riuscirebbe a risollevarsi e a raggiungere l'isola.
7. Allo scopo di decidere chi può andare sull'isola, ogni studente dovrà escogitare, e quindi scrivere, almeno cinque motivi per i quali la sua presenza sull'isola è indispensabile per la sopravvivenza degli amici.
8. L'insegnante presenta una frase-modello. Se per esempio la sua vocazione fosse stata quella di diventare un atleta, scriverebbe: *"La mia presenza sull'isola sarebbe importante perché salirei sulle palme e raccoglierei le noci di cocco per servirvele fresche ogni mattina"*.
9. L'insegnante sottolinea l'inizio della frase-modello: *"La mia presenza sull'isola sarebbe importante perché …"*, che vale come esempio per ogni lettera.
10. In secondo luogo, sottolinea i condizionali presenti e invita gli studenti a usare lo stesso modo verbale per esprimere le azioni immaginarie che potrebbero fare a favore dei compagni dispersi sull'isola.
11. Assegna un tempo limite alla produzione scritta: venti minuti.
12. Conclusa l'attività di scrittura, ciascuno a turno legge la propria composizione ad alta voce.
13. Si passa alla votazione finale: ogni studente può esprimere al massimo tre preferenze (per alzata di mano) a favore di quanti hanno espresso le ragioni più convincenti.
14. Chi ottiene meno voti, rimane nel deserto.

3.2.11 Riscrittura totale

Modalità sensoriale	Visuale
Obiettivo	Riscrivere un testo facendo attenzione alla sintassi e alla coesione
Livello	Da B2
Nr. partecipanti	Almeno 2
Durata	Venti minuti, mezz'ora
Materiali	-
Preparazione	Scrivere alla lavagna una breve poesia

Svolgimento

1. L'insegnante scrive alla lavagna una breve poesia. Per esempio la seguente (Sandro Penna, *Poesie*, Garzanti, Milano 1973):

> **Il mare è tutto azzurro.**
>
> **Il mare è tutto calmo.**
>
> **Nel cuore è quasi un urlo**
>
> **di gioia. E tutto è calmo.**

2. L'insegnante annuncia che cancellerà una parola alla volta, che gli studenti dovranno sostituire con un'altra o, al massimo, altre due parole.

3. Quindi l'insegnante cancella la parola (ad esempio "urlo" nella terza riga).

4. L'insegnante a questo punto diviene uno scrivano fedele: rimane neutrale di fronte ad ogni sostituzione, lasciando che sia l'intera classe a valutarne la correttezza. Interviene solo nel caso di dubbi, o errori di cui la classe non si accorge.

5. L'attività si può dire conclusa quando si ottiene una poesia completamente diversa dall'originale.

3.2.12 Indovinelli al passivo

(Franco Pauletto)

Modalità sensoriale	Auditiva
Obiettivo	Esercitare la forma passiva
Livello	Da B2
Nr. partecipanti	Almeno 2
Durata	Una ventina di minuti
Materiali	-
Preparazione	-

Svolgimento

1 L'insegnante offre agli studenti degli indizi relativi ad un oggetto misterioso:

a. *È stato inventato alcuni millenni fa.*
b. *Viene usato indifferentemente da uomini e donne.*
c. *Nel corso dei secoli è stato prodotto in molti materiali diversi.*
d. *Viene usato preferibilmente di fronte a uno specchio.*
e. *Va usato con delicatezza.*

A seguito di ogni frase, chiede: "Che cos'è?" e raccoglie le ipotesi degli studenti. Nel caso in cui gli studenti non riescano ad indovinare, fornisce la soluzione (*il pettine*).

2 Invita dunque ogni allievo a scegliere un oggetto e a scrivere da tre a cinque indovinelli, simili a quello presentato, usando la forma passiva.

3 Una volta conclusa l'attività di scrittura, ognuno sfida l'intera classe: legge i propri indizi e i compagni devono indovinare.

Varianti

Il gioco può essere svolto come sfida tra coppie o tra due o più squadre. Se si gioca a squadre, si può assegnare un punto per ogni soluzione e un punto per ogni errore scovato nella domanda formulata dall'altra squadra.

Consigli

È importante invitare gli studenti a essere sportivi e a formulare indovinelli trasparenti, che contengano cioè elementi sufficienti per poter essere risolti.

3.2.13 L'isola dei naufraghi

Modalità sensoriale	Visuale
Obiettivo	Ripasso del periodo ipotetico
Livello	Da C1
Nr. partecipanti	Almeno 3
Durata	Circa venti minuti
Materiali	-
Preparazione	-

Svolgimento

1. Dividere la classe in gruppi di tre o quattro studenti.
2. Gli studenti immaginano di essere dei naufraghi su un'isola deserta. Su quest'isola devono vivere per un anno; si devono organizzare e mettere d'accordo su cosa porterebbero con sé, rispondendo a queste domande:

    Se aveste a disposizione 3 piatti, cosa mangereste per un anno?
    Se aveste a disposizione 3 bevande, cosa berreste per un anno?
    Se poteste scegliere un animale domestico, quale vorreste?
    Se poteste tenere soltanto un libro con voi, quale scegliereste?
    Se poteste utilizzare un elettrodomestico, quale preferireste?
    ….

3. Alla fine ogni gruppo descrive l'organizzazione dell'isola.
4. Ogni studente vota a scrutinio segreto il gruppo che si è meglio organizzato. Non si può votare per il proprio gruppo.
5. Vince il gruppo che ottiene il maggior numero di voti.

Varianti

Per rendere il gioco più stimolante, gli studenti possono usare solo parole che iniziano con determinate lettere dell'alfabeto, scelte dall'insegnante o dalla squadra avversaria.

Attività didattiche: produzione libera scritta

Giochi per imparare il piacere dello scrivere.

3.3.1 Lui e lei

Modalità sensoriale	Cinestesica
Obiettivo	Descrivere una situazione presente
Livello	A1
Nr. partecipanti	Almeno 4
Durata	Dieci minuti
Materiali	Carta e penna
Preparazione	1 L'insegnante scrive alla lavagna queste frasi, separate da uno spazio:

> **Lui è:**
>
> **Lei è:**
>
> **Dove stanno:**
>
> **Cosa fanno:**
>
> **Cosa dice la gente:**

2 Invita gli studenti a riportarle su un foglio bianco.

Svolgimento

1 Ogni studente completa la prima frase, quindi piega il foglio, in modo da coprire la porzione di testo appena scritta, e lo passa al compagno di destra (o di sinistra), il quale completa la seconda frase, e così via.

2 L'insegnante ritira i fogli piegati e ne distribuisce casualmente uno ad ogni studente per la lettura.

Varianti

> **Chi?**
>
> **Un verbo transitivo all'imperfetto alla terza persona singolare:**
>
> **Che cosa?**
>
> **Dove?**
>
> **Con chi?**
>
> **Il primo dice:**
>
> **Il secondo dice:**
>
> **Cosa dice la gente?**
>
> **La morale:**

3.3.2 Disegna il fine settimana

Modalità sensoriale	Cinestesica
Obiettivo	Descrivere una situazione passata
Livello	A2
Nr. partecipanti	Almeno 2
Durata	Circa venti minuti
Materiali	Fogli di carta, matite colorate
Preparazione	-

Svolgimento

1. Si consegna un foglio bianco ad ogni studente.
2. Gli studenti sono invitati a tracciare sul proprio foglio sei riquadri dentro ai quali devono disegnare azioni compiute durante il fine settimana, una in ogni riquadro.
3. Il foglio viene passato al compagno di destra, il quale deve scrivere un racconto basato sui sei disegni.
4. L'attività si conclude con un simpatico confronto.

3.3.3 Studenti in fasce

(Emanuele Pozzebon)

Modalità sensoriale	Visuale
Obiettivo	Esercitare l'indicativo futuro e il congiuntivo presente; fare previsioni
Livello	Da A2
Nr. partecipanti	Almeno 4
Durata	Circa venti minuti
Materiali	Foto d'infanzia degli studenti
Preparazione	Raccogliere una foto d'infanzia per ogni studente.

Svolgimento

1. Al momento di presentare l'attività, l'insegnante deve già aver raccolto le foto degli studenti da piccoli (meglio se neonati).
2. Disposte le foto su un tavolo, invita ogni studente a sceglierne una a caso (che non sia la propria).
3. Gli studenti sono invitati ad esprimere per iscritto i propri pensieri sul futuro del bambino di cui hanno scelto la foto. Ovviamente le previsioni vanno formulate in modo positivo.
4. Alla fine dell'attività di scrittura, ciascuno dirà qual è la foto della sua infanzia e ascolterà le previsioni fornite dal compagno.

3.3.4 Il disegno misterioso

Modalità sensoriale	Auditiva, visuale, cinestesica
Obiettivo	Descrivere
Livello	Da A2
Nr. partecipanti	Almeno 6
Durata	Da trenta a cinquanta minuti
Materiali	Fotografie (o anche cartoline, immagini ritagliate da riviste, riproduzioni di quadri ricche di particolari), fogli, colori.
Preparazione	-
Svolgimento	

1. Si formano gruppi di due o tre studenti.
2. Ogni gruppo riceve una foto.
3. Ogni gruppo deve fare per iscritto una descrizione della foto della lunghezza di venti righe. Gli altri gruppi non possono vedere la foto.
4. L'insegnante ritira le foto e chiede che ogni gruppo scambi la propria descrizione con quella di un altro.
5. Ciascun gruppo deve fare un disegno a partire dalla descrizione ricevuta.
6. Alla fine l'insegnante fa confrontare i disegni con le immagini originali. Vince il gruppo il cui disegno corrisponde maggiormente all'originale e quello che ha scritto la migliore descrizione.

3.3.5 Gli extraterrestri

(Laura Saponaro - Silvia Testi - Paolo Torresan)

Modalità sensoriale	Auditiva
Obiettivo	Argomentare
Livello	Da A2
Nr. partecipanti	Almeno 4
Durata	Circa mezz'ora
Materiali	-
Preparazione	A seconda della creatività dell'insegnante.

Svolgimento

1 L'insegnante entra in classe fingendo di essere un marziano. Può usare come sottofondo del suo ingresso la colonna sonora di un film di fantascienza, può accendere e spegnere le luci rapidamente e parlare con voce metallica.

2 Dice di essere il capo di una spedizione di extraterrestri, scesi sulla Terra per distruggerla. La volontà del Pianeta da cui proviene è quella di salvare un solo Paese (o una sola regione).

3 Ciascuno studente dovrà scrivere una lettera per persuadere l'insegnante-marziano a garantire l'incolumità del suo Paese.

4 La frase di apertura sarà: *"Caro Capo dei marziani"*, mentre quella di chiusura sarà: *"Spero avrà la cortesia di salvare il mio bellissimo Paese"*.

Consigli Ovviamente si tratta di un'attività adatta ad una classe di studenti di diverse nazionalità.

3.3.6 Il circo

Modalità sensoriale	Auditiva
Obiettivo	Descrivere e argomentare
Livello	Da A2
Nr. partecipanti	Almeno 4
Durata	Circa mezz'ora
Materiali	Animaletti giocattolo, *peluche* o foto di animali
Preparazione	-

Svolgimento

1. Si fa uscire uno studente e si chiede alla classe che tipo di animale si potrebbe associare alla sua persona.
2. Si fa rientrare lo studente, gli si comunica a quale animale è stato associato e si procede con un secondo e così via.
3. Una volta conclusa l'assegnazione e reso noto a ciascuno l'animale in cui si deve immedesimare, si disegna alla lavagna il tendone di un circo.
4. Si annuncia che il padrone del circo sta cercando nuovi animali che si esibiscano negli spettacoli.
5. Ciascuno è invitato a stendere il proprio curriculum vitae e una lettera di presentazione, descrivendo la propria esibizione.
6. Una volta scaduto il tempo stabilito, l'insegnante ritira gli elaborati. Informa la classe che alla prossima lezione comunicherà quale animale avrà superato la selezione.
7. La lezione successiva l'insegnante può dichiarare vincitore un singolo animale, precisando il criterio adottato per la selezione (in alternativa, può dichiarare vincitori tutti a pari merito, sottolineando le diverse competenze).

Varianti

Come ulteriore attività, gli animali selezionati sono chiamati a esibirsi in uno spettacolo di fronte alla classe in cui danno prova delle competenze dichiarate nel C.V., oppure, più semplicemente, spiegano in dettaglio il loro profilo.

3.3.7 Una storia a cipolla

Modalità sensoriale	Visuale
Obiettivo	Raccontare
Livello	Da B1
Nr. partecipanti	Almeno 4
Durata	Circa venti minuti
Materiali	Scheda 3.3.7 pagina 118
Preparazione	-

Svolgimento

1. L'insegnante detta agli studenti la prima frase del racconto riportato nella Scheda 3.3.7.
2. Gli studenti sono invitati a proseguire il racconto in forma scritta, secondo lo stimolo fornito dall'insegnante.
3. Dopo qualche minuto l'insegnante detta la seconda frase e così via.

Varianti

Lo stimolo può essere sensoriale. Di volta in volta l'insegnante può invitare gli studenti a descrivere: suoni, rumori, immagini, odori, sensazioni.

3.3.8 Scrittura creativa

(Alessandro Laganà)

Modalità sensoriale	Visuale, cinestesica
Obiettivo	Stimolare la produzione scritta; arricchire il lessico
Livello	Da B2
Nr. partecipanti	Almeno 2
Durata	Circa quaranta minuti
Materiali	Buste di carta o di plastica.
	Diversi oggetti originali, per esempio conchiglie, un cappello, un bicchiere, una maschera (veneziana, africana, ecc.), un diapason, una statuetta di legno, della frutta, una bottiglia vuota (di whisky o altro), una lattina di birra, un contenitore delle uova di cioccolato (con il divieto di vedere cosa contenga), un giocattolo, un elastico, una penna o una gomma, ecc.
Preparazione	Inserire ogni oggetto in una busta.

Svolgimento

1. Ad ogni studente si consegna un oggetto contenuto in una busta.
2. Gli studenti possono aprire le buste, senza però far vedere ai compagni il proprio oggetto.
3. Ogni studente deve scrivere una descrizione del proprio oggetto attenendosi a queste istruzioni:
   a. usa il tatto, la vista, l'olfatto, l'udito, il gusto per esprimere le sensazioni che l'oggetto provoca in te, e usa l'immaginazione per esprimere le emozioni che l'oggetto provoca in te;
   b. non puoi scrivere il nome dell'oggetto né la categoria alla quale appartiene;
   c. hai a disposizione dieci minuti.
4. Scaduto il tempo, gli studenti, divisi a coppie, hanno la possibilità di migliorare i loro testi, prima di leggerli alla classe.
5. Durante la lettura, tutti i compagni cercheranno di indovinare qual è l'oggetto misterioso.

Varianti Scrivi la storia di un oggetto inanimato o un dialogo tra due oggetti inanimati.

Consigli Una produzione creativa permette a chi scrive di elaborare un testo molto più ricco di quanto non possa essere una descrizione oggettiva.

Facciamo un esempio:

Ha una forma arrotondata, è peloso, morbido ma non molle, sembra buono da mangiare, maturo. È di colore marrone e verde, i colori dei militari, eppure non mi fa pensare alla guerra, ma alla pace e al sole di una spiaggia deserta. Solo a guardarlo mi viene voglia di bere un succo di frutta fresco e dolce. Mi fa anche venir voglia di fare una vacanza in un posto tropicale. Mi ricorda l'estate scorsa quando in vacanza alle Maldive ho conosciuto Marina. Anche lei era molto dolce e molto bella, per fortuna però non era pelosa!... [soluzione: il kiwi]

3.3.9 La sfida

Modalità sensoriale	Visuale, auditiva
Obiettivo	Esercitare la formula interrogativa; verifica
Livello	Da B2
Nr. partecipanti	Almeno 6
Durata	Un'ora
Materiali	Schede 3.3.9 A e B pagine 119 - 121, pennarelli
Preparazione	Fotocopiare la Scheda 3.3.9 A e ingrandirla per farne un cartellone.

Svolgimento

1. L'insegnante divide la classe in due squadre, 1 e 2.
2. Appende il cartellone creato con la Scheda 3.3.9 A.
3. Su suggerimento degli studenti, inserisce nuove lettere nei cerchi rimasti vuoti. Non vanno inserite le lettere meno usate dell'alfabeto italiano (H, J, K, X, Y, Z, Q).
4. Ogni lettera dello schema originario è l'iniziale di una parola. Per scoprire di quale parola si tratta è necessario rispondere ad una domanda posta dall'insegnante. Per esempio, se la squadra 1 vuole sapere la parola che si nasconde dietro alla lettera "B", deve rispondere alla domanda *"Come si chiama la persona che salva le persone in mare?"* (Bagnino).
5. Per ogni lettera inserita in classe invece (al punto 3), ciascuna squadra deve decidere separatamente la parola nascosta (alla lettera A, *"afoso"*) e la domanda che permette all'altra squadra di scoprirla (*"Come si chiama un clima caldo e umido?"*).
6. Conclusa l'attività di scrittura delle domande da parte di ogni gruppo, l'insegnante spiega le regole del gioco:

   a. *ogni squadra si dà un nome e sceglie il simbolo X o 0;*
   b. *ogni squadra sceglie un portavoce, l'unico che può rispondere a nome del gruppo;*
   c. *il tempo massimo per la risposta è di un minuto;*
   d. *è sempre possibile consultarsi purché si parli in italiano;*
   e. *ad ogni risposta corretta la squadra guadagna una casella;*
   f. *la squadra 1 gioca in verticale, deve partire da una casella nella riga in alto e deve raggiungere una delle caselle nella riga in basso. La squadra 2 invece gioca orizzontalmente e, partendo dal lato sinistro deve arrivare ad una delle caselle sul margine destro;*
   g. *per spostarsi ogni squadra può scegliere solo una casella collegata a quella in cui si trova;*
   f. *non è possibile scegliere una casella occupata dalla squadra avversaria;*
   g. *per le lettere presenti nello schema originario: se la risposta della squadra che per prima ha scelto la casella non è corretta, la squadra avversaria può tentare di rispondere, guadagnando così la casella. Nel caso in cui tutte e due le squadre non forniscono la risposta esatta, la casella può essere conquistata attraverso una domanda di riserva (Scheda 3.3.9 B).*

7. L'insegnante stabilisce un metodo qualsiasi, per esempio *testa o croce?*, per assegnare il turno e la sfida ha inizio.

Consigli

La scelta della direzione che ogni squadra deve prendere (punto 6f dello *svolgimento*) va stabilita prima del gioco. Infine, se si vuole semplificare l'attività, si possono ridurre le dimensioni della griglia.

3.3.10 Al centesimo compleanno

Modalità sensoriale	Visuale
Obiettivo	Scrivere un elogio
Livello	Da B2
Nr. partecipanti	Almeno 4
Durata	Circa venti minuti
Materiali	Schede 3.3.10 A e B pagina 122, una busta
Preparazione	Fotocopiare la Scheda 3.3.10 A e ritagliare i cartellini in modo da prepararne uno per studente. Se il numero non è sufficiente creare nuove tracce oppure proporre due volte alcuni cartellini. Fotocopiare la Scheda 3.3.10 B, ritagliare le liste di parole e metterle in una busta.
Svolgimento	1 L'insegnante presenta agli studenti un tipo di testo particolare: l'encomio (può servirsi di spezzoni di film). 2 Gli studenti sono invitati a redigere un discorso o uno scritto per un compagno, in occasione di una tra le circostanze descritte nel cartellino che riceveranno. 3 Consegnare ad ogni studente un cartellino in modo casuale. 4 Chiedere ad ogni studente di pescare nella busta dei cartellini B le parole che obbligatoriamente dovrà utilizzare nel testo. L'insegnante è a disposizione per chiarimenti sul significato di queste parole. 5 Al termine offrire la possibilità di condividere i loro testi con i compagni; le composizioni possono essere appese alla parete.
Varianti	Agli studenti può essere chiesto di redigere il proprio necrologio. Va chiarito che lo scopo dell'attività è quello di far emergere le loro aspirazioni profonde.
Consigli	Adatto per classi di adulti.

Attività didattiche: produzione libera orale

Questi giochi favoriscono diverse forme di interazione orale: la spiegazione, l'argomentazione, la descrizione.

Modalità sensoriale	Cinestesica, visuale, auditiva
Obiettivo	Sviluppare l'abilità di compiere perifrasi
Livello	A2
Nr. partecipanti	Almeno 6
Durata	Trenta minuti circa
Materiali	-
Preparazione	-

Svolgimento

1. L'insegnante fa un esempio di come si svolge il gioco. Chiama uno studente di fronte alla classe, e gli porge un biglietto con scritto:

> **VACANZE:**
> mare, montagna, lavoro, ferie

Lo studente deve far indovinare ai compagni la parola sottolineata ("vacanze"), senza però usare le parole vietate ("mare", "montagna", "lavoro", "ferie"). Ha a disposizione un minuto.

2. L'insegnante divide la classe in due squadre di almeno tre studenti.

3. Ogni squadra deve preparare i cartellini per la squadra avversaria, indicando su ciascuno la parola da indovinare e le parole vietate.

4. L'insegnante lancia il gioco. Un membro della squadra A pesca un cartellino dal mazzo realizzato dal gruppo B, dando suggerimenti ai compagni sulla parola da indovinare. Se dice una parola vietata, non può più fornire indizi ma deve subito prendere un altro cartellino.

5. Scaduto il tempo limite (per esempio, tre minuti), il turno passa ad un membro della squadra B, e così via.

6. Il punteggio è il seguente:

    +2 per ogni parola segreta indovinata.
    -1 nel caso in cui il giocatore si esprima in lingua madre.
    -1 se dice una parola "taboo".

7. Al termine del tempo stabilito (per esempio 15 minuti) o all'esaurimento dei cartellini, vince la squadra che ha ottenuto più punti.

3.4.2 Jigsaw con le immagini

(Angela Gomez)

Modalità sensoriale	Visuale
Obiettivo	Descrivere
Livello	A2/B2
Nr. partecipanti	Almeno 6
Durata	Dai trenta ai cinquanta minuti
Materiali	Schede 3.4.2 A e 3.4.2 B pagine 123 - 124
Preparazione	Fotocopiare la Scheda 3.4.2 A o 3.4.2 B a seconda del livello della classe, ritagliare i disegni.

Svolgimento

1. Si formano gruppi di due o tre persone (massimo tre gruppi se si lavora con la Scheda A, massimo 7 gruppi se si lavora con la Scheda B).
2. L'insegnante spiega agli studenti che dovranno indovinare il contenuto di un testo attraverso una serie di immagini.
3. Scrive alla lavagna il genere testuale, il mittente e il destinatario relativi al testo da ricostruire (scritti sulle singole schede).
4. Le immagini che illustrano i momenti salienti del racconto sono ripartite (a caso) tra i vari gruppi: ogni gruppo riceve dall'insegnante una o più immagini.
5. I membri di ogni gruppo hanno a disposizione un minuto per osservare le immagini (o la singola immagine) che sono state consegnate loro, e devono cercare di memorizzarne ogni dettaglio.
6. Passato il minuto tutte le immagini vengono restituite all'insegnante.
7. Si formano nuovi gruppi con almeno un rappresentante dei gruppi precedenti. I membri si confrontano tra loro al fine di ricostruire le vicende cui le immagini si riferiscono.
8. Ogni studente scrive una sintesi personale della storia.
9. Al termine della lezione (o in una lezione successiva) si confrontano le diverse versioni con il testo originale.

Varianti

Per rendere il gioco più complesso l'insegnante può eliminare la numerazione progressiva dei disegni e chiedere agli studenti riuniti (punto 7) di creare un possibile ordine per costruire una storia.

3.4.3 Dimmi cosa ascolti e ti dirò chi sei

(Martina Lohmann)

Modalità sensoriale	Auditiva
Obiettivo	Formulare ipotesi
Livello	Da B1
Nr. partecipanti	Almeno 4
Durata	Dipende dal numero dei corsisti
Materiali	Brani musicali scelti dagli studenti
Preparazione	L'insegnante invita ogni studente a portare il brano musicale preferito su cd o cassetta, senza dire ai compagni di quale brano si tratti.
Svolgimento	1 L'insegnante sceglie a caso uno dei brani proposti dagli studenti senza precisare l'autore della scelta e lo fa ascoltare alla classe.
	2 A turno ed in plenum ogni studente dichiara chi è, secondo lui, il proprietario del brano ascoltato e specula sulle qualità di colui che avrebbe portato il brano musicale e su ciò che potrebbe distinguerlo dagli altri.
	3 L'autore della scelta, non potendo votare per se stesso, dovrà dare un voto "falso".
	4 L'insegnante propone un secondo brano e l'attività riprende dal punto 1.
	5 Vince chi indovina le scelte musicali dei compagni.

3.4.4 Giochi di ruolo

Modalità sensoriale	Auditiva
Obiettivo	Argomentare
Livello	Da B1
Nr. partecipanti	Almeno 2 per le situazioni n°1 e 2, almeno 4 per la situazione n°3, almeno 9 per la situazione n°4, almeno 6 per la situazione n°5
Durata	Da cinque a venti minuti per ogni situazione
Materiali	Schede 3.4.4 A, B, C, D, E pagine 125 - 127; per il gioco di ruolo n. 3: tanti progetti di abitazioni quante sono le coppie di architetti
Preparazione	Scegliere la situazione più adatta alla propria classe. Fotocopiare la Scheda, ritagliare i cartellini in numero adeguato.
Svolgimento	① L'insegnante assegna le lettere ad ogni studente in base alla situazione scelta.
	② L'insegnante consegna ad ogni studente il proprio cartellino con la descrizione della situazione.
	③ È importante che l'insegnante faccia in modo che gli studenti che assumono ruoli differenti ricevano separatamente le istruzioni.
	④ Gli studenti che hanno lo stesso ruolo possono consultarsi per creare meglio il personaggio/i personaggi.
	⑤ L'insegnante riunisce le coppie o i gruppi (a seconda del gioco di ruolo scelto) e li invita a discutere in base alla situazione.
	⑥ Per la situazione n° 5 è importante sottolineare che si tratta sempre delle stessa madre e della stessa figlia, anche se ci sono diversi studenti che la rappresentano. Si distribuisce la classe sui due lati di un tavolo, oppure su due file di sedie in modo che si guardino in faccia. Da un lato siede *la madre* (di cui gli studenti che la rappresentano decidono l'età, il nome, il lavoro e gli *hobby*), dall'altro *la figlia* (come sopra).

Disposizione dell'aula:

3. **madre**	3. **figlia**
2. **madre**	2. **figlia**
1. **madre**	1. **figlia**

Appena una conversazione tra "madre 1" e "figlia 1" si esaurisce, l'insegnante passa la parola ad un nuovo interlocutore. Se, per esempio, la "madre 1" dimostra di non avere più argomenti o è in difficoltà, l'insegnante passa la parola alla "madre 2", che parlerà ancora con la "figlia 1". In ogni caso dopo un po' l'insegnante darà la parola alla "figlia 2" e così via fino a far parlare tutti.

3.4.5 C'era una volta

Modalità sensoriale	Visuale, cinestesica
Obiettivo	Raccontare
Livello	Da B1
Nr. partecipanti	Almeno 6
Durata	Circa venti minuti
Materiali	Cartoncini di diversi colori
Preparazione	Preparare di un numero di cartoncini colorati come previsto al punto 1 dello svolgimento.

Svolgimento

1. L'insegnante consegna ad ogni studente sei cartoncini: quattro cartoncini di diverso colore e due dello stesso colore.

2. L'insegnante invita gli studenti a prendere un cartoncino di un certo colore, per esempio giallo, e a scriverci una risposta immaginaria alla domanda: *"chi?"* (es.: *"mio padre"*, *"Guillermo"*, *"le sorelle di Gianluca"*, *"lo zio di Francesco"*, *"Ilaria e Giovanni"*, ecc.)

3. L'insegnante invita gli studenti a prendere i due cartoncini dello stesso colore (per esempio bianco) e a scriverci due azioni, vale a dire rispondere alla domanda: *"che cosa fa?"*. Il verbo va scritto all'infinito (per esempio su un cartoncino *"mangiare"*, sull'altro *"giocare"*)

4. Su un altro cartoncino (per esempio verde) gli studenti scrivono la risposta alla domanda *"dove?"*; (per esempio *"al bar"*), su un altro ancora (rosso) la risposta alla domanda *"come?"* (per esempio *"in piedi"*), sull'ultimo (azzurro) la risposta alla domanda *"perché?"* (*"ha fame"*). Come si capisce dall'esempio, le risposte possono essere date a caso, senza connessione tra loro.

5. L'insegnante invita gli studenti a immaginare di essere al mercato: devono passeggiare per la classe e scambiarsi le parole con compagni diversi. Ogni parola dovrà essere scambiata con una equivalente (quindi si scambieranno cartoncini dello stesso colore). Nella mano destra lo studente terrà le parole da scambiare, nella sinistra le parole già scambiate. Tutti alla fine dovranno disporre di sei nuove parole.

6. Si divide la classe in due o più squadre. Ogni squadra deve essere composta di almeno tre studenti e al massimo di cinque.

7. I membri di ogni squadra vengono fatti sedere in cerchio.

8. L'insegnante passa per ogni squadra e posa sul pavimento, al centro del cerchio, un cartoncino di un nuovo colore (per es: grigio) in cui c'è scritto *"C'era una volta..."*.

9. Ogni squadra deve creare una storia coerente, utilizzando tutti i cartoncini a disposizione. Il primo studente che ritiene di poter iniziare la storia mette il proprio cartoncino (*"Guillermo"*), sopra quello posato sul pavimento dall'insegnante e deve parlare per almeno un minuto (*"C'era una volta un ragazzo simpatico, si chiamava Guillermo e..."*).

10. Passato il minuto, un qualsiasi compagno dice *"stop!"* e continua la storia aggiungendo un cartoncino.

11. Alla fine, l'insegnante invita ciascuno a scrivere la storia realizzata dal proprio gruppo, così come lui/lei la ricorda.

Varianti

Il punto 5 (introdotto semplicemente per far muovere gli studenti) può essere omesso: anziché scambiarsi le parole con i compagni, ciascuno terrà le proprie.

3.4.6 Di spalle

Modalità sensoriale	Visuale, auditiva, cinestesica
Obiettivo	Descrivere
Livello	Da B1
Nr. partecipanti	Almeno 6
Durata	Circa venti minuti
Materiali	Riproduzioni di opere d'arte o immagini pubblicitarie, fogli bianchi
Preparazione	-

Svolgimento

1. L'insegnante forma le coppie.
2. I membri di ogni coppia vengono fatti sedere di schiena.
3. Ad uno studente viene consegnata un'immagine, all'altro un foglio bianco.
4. Il primo deve descrivere l'immagine nei particolari, mentre il compagno prova a riprodurla attraverso il disegno.
5. Una volta finito si invertono i ruoli: a chi disegnava viene dato un disegno da descrivere (diverso da quello precedente), mentre a chi descriveva viene consegnato un foglio bianco su cui disegnare.
6. Si confrontano i disegni con le immagini originali.
7. Vince chi riesce a riprodurre il disegno con più particolari.

Varianti

1. Si può far descrivere anche la propria casa (il compagno dovrà disegnare la pianta), la città ideale, un parente, ecc.
2. Ci può essere una persona che descrive e due o più che disegnano (e che quindi competono per realizzare la copia più fedele).

3.4.7 La cartolina

Modalità sensoriale	Visuale, cinestesica
Obiettivo	Descrivere
Livello	Da B1
Nr. partecipanti	Almeno 4
Durata	Circa venti minuti
Materiali	Cartoline di diverse località italiane
Preparazione	-

Svolgimento

1. L'insegnante distribuisce una cartolina ad ogni studente.
2. Gli studenti devono osservarle attentamente.
3. L'insegnante ritira le cartoline e le dispone in ordine sparso sul pavimento o sopra il tavolo.
4. Invita gli studenti ad osservare tutte le cartoline per un paio di minuti.
5. Gira le cartoline, in modo che non si possano più vedere le illustrazioni.
6. A turno gli studenti provano a esprimere le *sensazioni* che la cartolina assegnata ha suscitato in loro, senza però descrivere l'immagine.
7. Il turno passa a chi riesce a capire qual è la cartolina e se ne ricorda la posizione. Se lo studente ha già descritto la sua cartolina, può cedere la parola a chi vuole lui. Nel caso di risposta errata, invece, il turno passa a chi si offre di indovinare.
8. Il gioco finisce quando tutti hanno descritto le sensazioni suscitate dalle cartoline assegnate.

Varianti Descrivere l'immagine anziché le sensazioni.

3.4.8 Il club della depressione e il club dell'euforia

(Lucia Moretto)

Modalità sensoriale	Auditiva
Obiettivo	Esercitare alcune funzioni comunicative (lamentarsi, rallegrarsi, ecc.)
Livello	Da B1
Nr. partecipanti	Almeno 6
Durata	Dieci minuti
Materiali	-
Preparazione	-
Svolgimento	1 Si fanno uscire gli studenti dall'aula.
	2 L'insegnante dispone le sedie attorno a dei tavolini, come ad un *club*.
	3 Una volta fatti entrare gli studenti, li si avvisa che dovranno prendere posto nel *club* della depressione, dove è vietatissimo ridere o parlare di cose felici, ed è più bravo chi è più triste e sfortunato.
	4 Dopo alcuni minuti si fanno uscire nuovamente gli studenti.
	5 Si modifica l'assetto delle sedie e dei tavolini.
	6 Si richiamano gli studenti nell'aula: ora sono nel *club* dell'euforia, dove è proibito dire cose negative e il più bravo è chi è più allegro e vivace.
Varianti	*Club* dei noiosi, dei *vip*, dei pigri, dei golosi, dei bugiardi, dei sinceri, degli animali, ecc.

3.4.9 Dal veterinario

(Lucia Moretto)

Modalità sensoriale	Visuale, auditiva
Obiettivo	Formulare dei consigli
Livello	Da B2
Nr. partecipanti	Almeno 6
Durata	Circa venti minuti
Materiali	Fotografie o pupazzi di animali, di plastica o di *peluche*
Preparazione	-

Svolgimento

1 L'insegnante dispone le foto e/o i pupazzi sul tavolo.

2 Ciascuno studente sceglie un animale da interpretare.

3 L'insegnante, aiutandosi con i gesti e i disegni, annuncia:

> *"Non siete più in un'aula ma nella sala d'attesa dell'ambulatorio di un veterinario. Ciascuno di voi è qui perché ha bisogno di essere guarito.*
> *Il veterinario sta operando una balena e non potrà visitarvi presto. Potete fare conoscenza con gli altri animali, parlare del vostro problema e scambiarvi consigli".*

4 Per stimolare la fantasia, l'insegnante può scrivere alla lavagna nomi di malattie improbabili e ridicole, per es: un brufolo sulla coda, il pelo sulla lingua, il singhiozzo senza fine, l'abbaiare troppo forte, lo starnutire per le orecchie, ecc.

5 Al fine di regolare le interazioni, l'insegnante avvisa che, una volta che l'animale malato ha esposto il problema, gli altri animali, a turno, formulano dei consigli. Colui il quale, a giudizio dell'animale malato, ha espresso il consiglio più convincente, avrà il diritto di parola e passerà quindi a raccontare i suoi malanni.

Modalità sensoriale	Auditiva, cinestesica
Obiettivo	Protestare
Livello	Da B2
Nr. partecipanti	Da 5 a 7
Durata	Circa mezz'ora
Materiali	Scheda 3.4.10 pagina 128
Preparazione	Fotocopiare la Scheda 3.4.10 facendo in modo che ci sia una griglia per ogni studente (ogni scheda ne ha tre).

Svolgimento

1 L'insegnante disegna alla lavagna la sezione di condominio con tanti appartamenti quanti sono gli studenti.

Se per esempio abbiamo una classe di sette studenti, il disegno potrebbe risultare così:

2 L'insegnante distribuisce ad ogni studente le fotocopie della Scheda 3.4.10.

3 Si fa uscire uno studente dall'aula.

4 La classe inventa la nuova identità di quello studente compilando una griglia della scheda.

5 Si fa rientrare lo studente e se ne invita un secondo ad uscire.

6 Si compie la stessa operazione, come al punto 4. E così via con gli altri, scrivendo nei vari appartamenti i nomi degli studenti.

7 Si dà avvio all'assemblea condominiale, dove ciascuno è libero di lamentarsi degli altri inquilini. Ognuno può lamentarsi come vuole ma non può menzionare le "caratteristiche segrete" degli altri mentre si possono rivelare, se si vuole, le "altre caratteristiche". Obiettivo di ognuno dei "condomini" è di indovinare le proprie "caratteristiche segrete".

8 Le schede sono consultabili durante la discussione e ognuno può appuntare sulla propria gli indizi per scoprire le proprie "caratteristiche segrete".

9 Chi pensa di aver scoperto tutte le "caratteristiche segrete" blocca la discussione e chiede alla classe una verifica.

10 Se tutte le caratteristiche sono corrette vince il gioco altrimenti non potrà chiedere alla classe una nuova verifica per due minuti.

Varianti

1 Per rendere il gioco più facile si possono creare griglie più agevoli e porre come caratteristica segreta solo il lavoro oppure lavoro ed età.

2 I "simpatici inquilini" può anche trasformarsi nel "condominio dei VIP": ad ogni studente viene assegnata dal resto della classe, in gran segreto, come al punto 4 dello svolgimento, l'identità di un personaggio famoso. Scopo del gioco è indovinare la propria identità. In questo caso si può giocare senza griglie.

3 Altre possibilità: ognuno deve scoprire che animale è, oppure chi è la sua famosa moglie (o marito), quale strumento suona, ecc.

Modalità sensoriale	Auditiva
Obiettivo	Argomentare
Livello	Da B2
Nr. partecipanti	Almeno 5
Durata	Circa mezz'ora
Materiali	-
Preparazione	-

Svolgimento

1. La classe si siede a semicerchio davanti a tre sedie: in quella centrale è seduto l'insegnante, le altre due sono vuote.

2. L'insegnante dichiara di essere un oggetto, per esempio: *"Io sono una rosa"*.

3. Due volontari pronti a sfidarsi si siedono sulle sedie vuote: ciascuno deve portare argomenti affinché l'oggetto al centro (*"la rosa"*) scelga lui/lei e non l'altra persona.
   Per esempio:

   A: *"Io sono la donna innamorata che ti riceve. Mi dai tanta felicità, ti metto al centro del tavolo e tutti ti guardano."*

   B: *"Io sono il giardiniere che ti coltiva in una serra, ho cura di te fino a quando non sei cresciuta."*

4. I giocatori continuano ad argomentare fino allo scadere di un tempo limite (ad esempio, due minuti). Chi tra i due riesce a convincere la persona al centro, prende il suo posto e dichiara a sua volta di essere un oggetto.

Varianti Ciascun giocatore può scegliersi un suggeritore.

3.4.12 Comprendi la notizia e trascrivi

(Tommaso Meldolesi)

Modalità sensoriale	Auditiva
Obiettivo	Riferire
Livello	Da B2
Nr. partecipanti	Almeno 6
Durata	Da sessanta a novanta minuti
Materiali	Alcuni articoli di giornale, un cartone bucato che ha la funzione di schermo TV
Preparazione	Fotocopiare articoli di giornale, preparare il cartone bucato o una cornice che avrà la funzione di schermo TV.

Svolgimento

1 La classe viene divisa in coppie o gruppi dello stesso numero di persone.

2 Ad ogni coppia (o gruppo) si consegna un differente articolo di giornale con l'invito a farne un'attenta lettura. Immaginiamo una classe di sei persone, divisa in tre coppie, che devono quindi confrontarsi fra loro sul testo letto.

$$A_1 \rightleftarrows A_2 \qquad\qquad B_1 \rightleftarrows B_2 \qquad\qquad C_1 \rightleftarrows C_2$$

3 Una volta giudicata soddisfacente la comprensione, i membri di ogni coppia vengono divisi per formarne una nuova. Nella nuova coppia un membro ha una funzione attiva (illustra l'articolo letto) mentre l'altro una funzione ricettiva (ascolta e prende nota).

$$A_1 \rightarrow B_2 \qquad\qquad B_1 \rightarrow C_2 \qquad\qquad C_1 \rightarrow A_2$$

4 Si forma un'ultima coppia: chi prima aveva una funzione ricettiva, ora deve riferire al nuovo compagno le notizie apprese.

$$A_2 \rightarrow B_1 \qquad\qquad B_2 \rightarrow C_1 \qquad\qquad C_2 \rightarrow A_1$$

5 Si ricostituisce la coppia di origine. I membri si riferiscono le notizie relative agli articoli letti dagli altri.

$$A_1 \rightleftarrows A_2 \qquad\qquad B_1 \rightleftarrows B_2 \qquad\qquad C_1 \rightleftarrows C_2$$

6 Si avvisano gli studenti che le notizie lette formano la traccia di un ipotetico telegiornale.

7 Ogni coppia (o gruppo) si organizza per presentare al meglio la propria versione del telegiornale. È necessario che i membri si accordino su un criterio di priorità delle informazioni, che si spartiscano ruoli ben distinti (il giornalista che presenta la notizia, l'inviato, l'esperto, ecc.), nel rispetto dei tempi assegnati dall'insegnante (un quarto d'ora, per esempio).

8 A turno ogni coppia (o gruppo) prende la parola e annuncia le "ultime notizie" da dietro lo schermo bucato.

Consigli

Per rendere più originale la scena, l'insegnante può portare e mettere a disposizione della classe: una cravatta, un microfono, un paio di occhiali, una giacca, un rossetto, un *foulard*, ecc.

Varianti

Per una formulazione alternativa della tecnica: ABDELKRIM BOUSSETTA, "La lettura con la tecnica del jigsaw", *Bollettino Itals*, I, 2003, www.itals.it.

Rompighiaccio

Giochi brevi per dividere le diverse fasi di una lezione e, in generale, per ravvivare l'energia del gruppo dopo un'attività riflessiva.

4.1 Salutarsi allo zoo

Modalità sensoriale	Auditiva, cinestesica
Obiettivo	Recuperare energia; prestare attenzione al linguaggio non verbale
Livello	Tutti
Nr. partecipanti	Almeno 4
Durata	Pochi minuti
Materiali	Musica strumentale vivace o una canzone
Preparazione	-
Svolgimento	A suon di musica si passeggia per la classe e ci si saluta a seconda dell'istruzione dell'insegnante: *"Siete tutti cani"; "Siete tutti cavalli"; "Siete tutti gatti"; "Siete tutti scimmie"; "Siete tutti pesci";* ecc.
Consigli	Il gioco è particolarmente adatto per classi di bambini. Può essere introdotto all'inizio della giornata o dopo una lunga pausa.
Varianti	In una classe plurilingue, gli studenti possono fare il verso dell'animale nella propria lingua madre.

4.2 Salutarsi con le emozioni

Modalità sensoriale	Visuale, cinestesica
Obiettivo	Arricchire il lessico; recuperare energia; prestare attenzione al linguaggio non verbale
Livello	Tutti
Nr. partecipanti	Almeno 4
Durata	Pochi minuti
Materiali	Scheda 4.2 pagina 129, musica strumentale veloce
Preparazione	Fotocopiare la Scheda 4.2 e ritagliare i cartellini
Svolgimento	1 L'insegnante consegna ad ogni studente un cartellino con riportata l'emozione o la condizione fisica da mimare. 2 A suon di musica gli studenti passeggiano per la stanza e si salutano, mimando l'emozione o la condizione fisica. 3 Alla fine si ricostruiscono in plenum gli stati d'animo e le condizioni fisiche mimate.
Varianti	Oltre a far uso dei gesti, lo studente può esprimere lo stato d'animo ripetendo in continuazione una parola di difficile pronuncia, per es.: *rabarbaro* (marcando quindi i tratti paralinguistici: tono, volume della voce, velocità di eloquio, ecc.). Se il discente non capisce il significato della parola scritta sulla scheda, può chiedere aiuto all'insegnante.

4.3 Salutarsi con il corpo

Modalità sensoriale	Auditiva, cinestesica
Obiettivo	Recuperare energia; divertimento; ripasso del lessico relativo alle parti del corpo
Livello	Tutti
Nr. partecipanti	Almeno 4
Durata	Circa dieci minuti
Materiali	Musica strumentale allegra
Preparazione	-
Svolgimento	I partecipanti si muovono per la stanza e si salutano senza usare le parole, ma attraverso le parti del corpo indicate dall'insegnante:

"*salutatevi con le mani*"
"*salutatevi con la spalla*"
"*salutatevi con le ginocchia*"
"*salutatevi con le caviglie*"
"*salutatevi con i gomiti*"
"*salutatevi con i mignoli*"
"*salutatevi con i talloni*", ecc.

4.4 Il filo

Modalità sensoriale	Cinestesica
Obiettivo	Recuperare energia; divertimento; prestare attenzione al linguaggio non verbale
Livello	Tutti
Nr. partecipanti	Almeno 4
Durata	Circa cinque minuti
Materiali	Musica strumentale
Preparazione	-
Svolgimento	1 L'insegnante mima il fatto di avere un filo che può trasformarsi e assumere diverse forme, peso e consistenza. Per esempio, mima di realizzare un gomitolo e lo lancia ad uno studente.
	2 Questi ha la possibilità di trasformare a proprio piacere le caratteristiche del gomitolo (da leggero a pesante, da grande a piccolo, ecc.), o di cambiare oggetto, facendo però attenzione a mimare il nuovo oggetto in modo che gli altri possano capire di cosa si tratti, prima che gli venga passato.
Consigli	Il gioco non ha bisogno di presentazioni, poiché le regole sono deducibili dalla mimica dell'insegnante. Se questi vede che il gioco diventa noioso, può "riprendere" l'oggetto, mimando un cambiamento di consistenza, di volume o di forma, per poi rimetterlo in gioco.

4.5 Ma chi è?

Modalità sensoriale	Cinestesica
Obiettivo	Approfondire la conoscenza tra gli studenti
Livello	Tutti
Nr. partecipanti	Almeno 6
Durata	Da cinque a dieci minuti
Materiali	-
Preparazione	-

Svolgimento

1. Uno studente viene bendato (o tiene gli occhi chiusi).
2. Gli altri studenti si mettono in fila in piedi e in silenzio.
3. L'insegnante annuncia la caratteristica in base alla quale lo studente bendato dovrà riconoscere un altro compagno. Ad esempio, la stretta di mano.
4. Lo studente bendato annuncia il nome del compagno che pensa di riuscire a riconoscere in base a quella caratteristica.
5. Lo studente bendato cerca di riconoscere il compagno designato sulla base della caratteristica espressa dall'insegnante.
6. Nel caso in cui lo studente non venisse riconosciuto, l'insegnante fornisce una nuova caratteristica, ad esempio pronunciare una parola qualsiasi, o il verso di un animale.
7. Il gioco può proseguire bendando lo studente che è stato riconosciuto e proponendogli altre caratteristiche secondo le quali riconoscere un altro compagno.

Varianti

Ogni studente, a turno, bendato, cerca di riconoscere tutti i compagni in base alla caratteristica descritta. Chi riconosce il maggior numero di compagni vince.

4.6 L'applauso

Modalità sensoriale	Cinestesica
Obiettivo	Recuperare energia
Livello	Tutti
Nr. partecipanti	Almeno 6
Durata	Qualche minuto
Materiali	-
Preparazione	-
Svolgimento	1 L'insegnante e gli studenti si dispongono in cerchio, in piedi.
	2 L'insegnante "passa" un applauso allo studente di destra, che lo trasmette al compagno vicino e così via.
	3 Appena l'applauso torna all'insegnante, questi lo trasmette al compagno di sinistra, e il giro si ripete in senso contrario.
	4 Concluso il giro, l'insegnante spiega che, una volta ricevuto l'applauso, ciascuno lo può trasmettere al proprio compagno di sinistra o di destra, a piacere.
	5 Infine, l'insegnante annuncia che l'applauso può essere passato liberamente a qualsiasi membro del gruppo: chi lo riceve lo trasmette a chi vuole.

4.7 Sfida all'ultimo gruppo

Modalità sensoriale	Cinestesica, auditiva
Obiettivo	Sciogliere l'imbarazzo
Livello	A1
Nr. partecipanti	Almeno 12
Durata	Pochi minuti
Materiali	-
Preparazione	-
Svolgimento	1 Gli studenti vengono fatti passeggiare liberamente per l'aula; occorre che ci sia uno spazio sgombro da sedie e tavoli.
	2 L'insegnante in posizione ben visibile alza il braccio con tre dita tese: gli studenti devono formare gruppi di tre.
	3 Gli studenti rimasti fuori vengono eliminati.
	4 Si continua così con altri numeri, fino a che rimangono tre o quattro studenti, i quali vengono dichiarati vincitori.
Varianti	Al posto della cifra indicata con le dita, l'insegnante pronuncia una parola. Si formeranno gruppi i cui membri devono essere pari al numero delle lettere che compongono la parola pronunciata ["sciare" (6)] o al numero cui si riferisce il significato della parola [*nani* (7), *mani* (2), *dita di una mano* (5), ecc.].

4.8 Guai a perdere il posto

Modalità sensoriale	Cinestesica
Obiettivo	Fissare alcune *routine* linguistiche
Livello	A1-A2
Nr. partecipanti	Almeno 8
Durata	Circa un quarto d'ora
Materiali	Una pallina
Preparazione	-

Svolgimento

1 L'insegnante e gli studenti di dispongono in cerchio, in piedi.

2 Uno studente è all'esterno e ha una pallina in mano.

3 Lo studente all'esterno gira intorno al cerchio, appoggia la pallina per terra, alle spalle di un altro giocatore, e comincia a correre. Il giocatore dietro al quale è stata appoggiata la pallina deve raccoglierla e correre in senso contrario rispetto all'altro.

4 Quando i due si incontrano, si fermano e improvvisano un breve dialogo, ispirato ad una situazione comunicativa appena affrontata in classe, per esempio "La stazione":

> a: *"Buongiorno, due biglietti per Bari."*
> b: *"Sono trenta euro."*
> a: *"Grazie e arrivederci."*

5 Il dialogo si conclude con una stretta di mano.

6 I due riprendono a correre per raggiungere il posto rimasto libero.

7 Far presente agli studenti che non possono concludere il dialogo in modo troppo brusco o inverosimile per raggiungere velocemente il posto. Pena la squalifica da parte dell'insegnante.

8 Chi rimane fuori ricomincia il gioco.

5

Attività dinamiche

Giochi per potenziare la dinamica del gruppo, prevenire e risolvere conflitti, migliorare il clima in classe e consolidare i rapporti.

5.1 Io nel gruppo

(Emanuele Pozzebon)

Modalità sensoriale	Visuale
Obiettivo	Approfondire la conoscenza tra gli studenti
Livello	Tutti
Nr. partecipanti	Almeno 4
Durata	Dieci minuti circa
Materiali	Musica strumentale, fogli bianchi, colori
Preparazione	-

Svolgimento

1. L'insegnante chiede ad ogni studente di scrivere il proprio nome sul foglio e di rappresentare attraverso un disegno come si sente nel gruppo.
2. Appena i disegni sono abbozzati, l'insegnante invita ciascuno a passare il foglio al compagno di destra o di sinistra (tutti comunque in una stessa direzione).
3. Chi ha ricevuto il disegno lo continuerà, cercando di esprimere come vede l'autore all'interno della classe.
4. Si continua fino a che il disegno, arricchito con i contributi di tutti, ritorna allo studente cui è riferito.

5.2 Il direttore d'orchestra

Modalità sensoriale	Cinestesica, auditiva
Obiettivo	Recuperare energia
Livello	Tutti
Nr. partecipanti	Almeno 3
Durata	Cinque minuti circa
Materiali	Musica strumentale
Preparazione	-

Svolgimento

1. L'insegnante sceglie un brano musicale, adatto alla situazione della classe (tranquillo se la classe è stanca; vivace a inizio giornata).
2. Invita i partecipanti a immaginare di essere dei direttori d'orchestra durante un'esibizione.
3. Passeggiando liberamente per la classe, ciascuno fingerà di dirigere l'esecuzione del brano.

5.3 Il nodo gordiano

Modalità sensoriale	Cinestesica
Obiettivo	Recuperare energia; vicinanza; contatto
Livello	Tutti
Nr. partecipanti	Almeno 7
Durata	Circa dieci minuti
Materiali	Musica strumentale facoltativa
Preparazione	-
Svolgimento	1 Gli studenti sono in piedi e formano un cerchio molto stretto, spalla contro spalla.
	2 Gli studenti, con gli occhi chiusi, devono allungare le mani verso il centro del cerchio.
	3 Ogni mano deve afferrarne un'altra.
	4 Gli studenti riaprono gli occhi: senza mai staccare le mani, devono ricostituire un nuovo cerchio.
Consigli	L'attività permette all'insegnante di riconoscere il ruolo che gli studenti assumono nel gruppo (il leader, colui che ricerca soluzioni alternative, il controllore, ecc.).

5.4 Vado a cena con...

Modalità sensoriale	Cinestesica
Obiettivo	Recuperare energia
Livello	A1
Nr. partecipanti	Almeno 8
Durata	Un quarto d'ora
Materiali	Una sedia in più rispetto al numero degli studenti
Preparazione	Sistemare le sedie in cerchio.

Svolgimento

1 Gli studenti sono seduti in cerchio, c'è una sedia in più, che rimane libera.

2 L'insegnante scrive alla lavagna la seguente frase:

> *IO*
> *VADO A CENA*
> *CON...*

e spiega le regole del gioco:

a. Lo studente (1) che ha a destra la sedia libera, si sposta ed esclama: "*IO...*".

b. Lo studente (2), che ora ha a destra la sedia libera, si sposta ed esclama: "*VADO A CENA...*"

c. Lo studente (3), che ora ha a destra la sedia libera, si sposta ed esclama "*CON...*" e dice il nome di un compagno.

d. Questi prende il posto alla sinistra dello studente (3).

e. I due studenti a destra e a sinistra della sedia rimasta libera "lottano" per conquistare il posto.

3 Il gioco ha inizio e una volta che il posto è stato conquistato ricomincia dal punto 2a.

Consigli

Nell'illustrazione della Scheda 5.4 a pagina 130 è visualizzata la dinamica del gioco.

Varianti

Volendo l'insegnante può proporre altre frasi con cui svolgere il gioco. Per esempio: "Io vado in vacanza con..."; "Io vorrei prendere un caffè insieme a..."; ecc.

5.5 L'alfabeto emisferico

Modalità sensoriale	Cinestesica, visuale, auditiva
Obiettivo	Associare le lettere dell'alfabeto ad un movimento che coinvolge entrambi gli emisferi cerebrali
Livello	A1
Nr. partecipanti	Almeno 3
Durata	Circa dieci minuti
Materiali	Scheda 5.5 pagina 131, una musica piuttosto vivace
Preparazione	Fotocopiare la Scheda 5.5 e ingrandirla per farne un cartellone.

Svolgimento

1. Gli studenti si devono alzare. Ciascuno deve avere uno spazio sufficiente per poter distendere braccia e gambe.

2. L'insegnante spiega cosa c'è sul cartellone: ad ogni lettera è associato un movimento di gambe e braccia: i rettangoli in alto corrispondono alle braccia (destra e sinistra) e quelli in basso alle gambe (destra e sinistra).

3. Studenti ed insegnante sono rivolti verso il cartellone, dove sono indicati i movimenti da seguire.

   -al riquadro in alto a destra si distende il braccio destro;
   -al riquadro in alto a sinistra si distende il braccio sinistro;
   -al riquadro in basso a destra si allunga la gamba destra;
   -al riquadro in basso a sinistra si allunga la gamba sinistra;

4. L'insegnante avvia la musica e, con le spalle rivolte agli studenti, scandisce le lettere ad alta voce e esegue i movimenti come se si specchiasse nei riquadri. Gli studenti ripetono.

5. L'esercizio va eseguito una seconda volta per acquisire una maggiore scioltezza.

Varianti Al posto delle lettere si possono inserire parole o numeri.

5.6 Il trenino

Modalità sensoriale	Cinestesica, visuale
Obiettivo	Vivacizzare la classe, ripassando i vocaboli che si riferiscono al corpo e all'abbigliamento
Livello	A1-A2
Nr. partecipanti	Almeno 8
Durata	Pochi minuti
Materiali	Cartoline raffiguranti diverse città italiane
Preparazione	Vengono tolti i banchi e gli studenti siedono disordinatamente per l'aula. L'insegnante dispone sul pavimento cartoline raffiguranti diverse città italiane.
Svolgimento	1 Gli studenti vengono fatti sedere.
	2 Il gioco ha inizio: l'insegnante cammina per la stanza. Si ferma e dice (nel caso in cui, per esempio, la cartolina raffiguri il Duomo di Milano):
	"Stazione di Milano: tutti i passeggeri che hanno l'orologio sono invitati a salire."
	3 Chi viene nominato (secondo la caratteristica espressa), deve accodarsi dietro alla locomotiva (l'insegnante).
	4 L'insegnante prosegue e, incontrando per esempio la cartolina di Trieste, potrebbe dire (mettendo le lentiggini come caratteristica):
	"Stazione di Trieste: tutti i passeggeri che hanno le lentiggini sono pregati di scendere."
	5 E così via. Dopo un giro di prova, l'insegnante cede il turno ad uno studente.
Consigli	Particolarmente adatto per classi di bambini.

5.7 La filastrocca a canone

Modalità sensoriale	Auditiva
Obiettivo	Rafforzare la competenza fonologica; ravvivare la classe
Livello	A1-A2
Nr. partecipanti	Almeno 10
Durata	Circa dieci minuti
Materiali	Scheda 5.7 pagina 132
Preparazione	Fotocopiare la Scheda 5.7, ritagliare la filastrocca adatta alla propria classe e ingrandirla per preparare un cartellone.
Svolgimento	1 L'insegnante fa un sondaggio tra gli studenti per sapere chi ha doti musicali, quindi nomina uno o più "direttori del coro".
	2 Divide la classe in tre o più gruppi (un gruppo per ogni strofa della filastrocca).
	3 Appende al muro il cartellone con riportata la filastrocca.
	4 Assegna ai direttori i seguenti compiti:
	a. devono decidere il ritmo con cui ogni strofa andrà cantata;
	b. devono assegnare una strofa ad ogni gruppo;
	c. devono allenare i gruppi a cantare la propria strofa fino a che sarà memorizzata perfettamente.
	5 Quando i gruppi sono pronti, i direttori danno il via ai cori, che si esibiscono in successione.
Varianti	Se i gruppi hanno lo stesso ritmo, è possibile farli cantare a canone: il secondo comincia a cantare il primo verso quando il primo comincia il secondo verso.
Consigli	È un'attività particolarmente adatta a classi di bambini.
	Le filastrocche possono essere scritte dall'insegnante o dagli studenti, oppure scaricate dal sito www.filastrocche.it.

5.8 La penna della discordia

Modalità sensoriale	Cinestesica
Obiettivo	Favorire un clima collaborativo
Livello	A1-A2
Nr. partecipanti	Almeno 4
Durata	Circa un quarto d'ora
Materiali	Fogli bianchi, pennarelli
Preparazione	-

Svolgimento

1. L'insegnante forma delle coppie. A ciascuna consegna un foglio bianco e un pennarello.
2. Annuncia che è vietato parlare durante il gioco e che i membri di ogni coppia dovranno disegnare insieme alcuni oggetti, usando lo stesso pennarello.
3. Annuncia che in ogni coppia ci si deve accordare su come impugnare insieme il pennarello.
4. Invita ogni coppia a disegnare un fiore.
5. Consegna un secondo foglio bianco e ricorda agli studenti che si devono accordare ancora tra di loro su come impugnare il pennarello.
6. Chiede agli studenti di tracciare una linea verticale per dividere il foglio a metà; devono disegnare insieme, sul lato sinistro ciò che desidera il compagno di sinistra, e sul lato destro ciò che desidera il compagno di destra.
7. Consegna un terzo foglio bianco.
8. Distingue in ogni coppia uno studente A e uno studente B.
9. Gli studenti A vengono fatti uscire dall'aula, mentre gli studenti B rimangono in classe.
10. L'insegnante annuncia agli studenti A (che sono fuori dall'aula) che, quando verrà detto loro di rientrare, dovranno disegnare assieme al compagno una casa.
11. Agli studenti B (che sono dentro all'aula) dice invece che dovranno disegnare assieme al compagno un elefante.
12. L'insegnante invita gli studenti A ad entrare e dà il via.

Varianti

In alternativa alle fasi 10-11, l'insegnante può distribuire a caso una serie di coppie di oggetti da disegnare, contraddistinti dall'opposizione spigoloso-rotondo: *automobile-gelato; castello-mongolfiera; barca a vela-pagliaccio*; ecc.

Giochi
interculturali

Giochi per conoscere i paesi di provenienza degli studenti, per scoprire insieme usi, costumi, tradizioni, modi di essere, per mettere in armonia le diversità con un sorriso...

6.1 Cosa c'è

Modalità sensoriale	Auditiva, cinestesica
Obiettivo	Conoscere alcune caratteristiche di paesi stranieri
Livello	Tutti
Nr. partecipanti	Almeno 4
Durata	Circa mezz'ora
Materiali	Schede, cartoline, immagini tratte da riviste che raffigurino o rappresentino i paesi da cui provengono gli studenti oppure che si vogliono porre all'attenzione della classe, musica strumentale di sottofondo. Sulle immagini e schede non dev'essere riportato il nome del paese.
Preparazione	Preparare almeno 4 o cinque schede o cartoline per ogni paese e fare in modo che i paesi rappresentati siano almeno pari al numero di studenti.
Svolgimento	1 L'insegnante colloca sul pavimento le schede preparate in precedenza, in cui sono raffigurate diverse caratteristiche di alcuni paesi stranieri (per esempio, per la Germania: *la porta di Brandeburgo, birra, salsicce, i pantaloncini bavaresi,* ecc.).
	2 Quando l'insegnante esclama il nome di un paese gli studenti devono raccogliere quante più schede possibili riferite a quel paese.
	3 Ad ogni scheda raccolta corrisponde un punto.
	4 Alla fine si può discutere in plenum sui motivi delle scelte effettuate (per esempio perché uno studente ha preso la birra quando l'insegnante ha detto "Germania").
Varianti	L'insegnante può scegliere il brano musicale tipico di un paese; quando interrompe la musica, gli studenti possono raccogliere le schede.
Consigli	L'attività è anche adatta a far partire una discussione su alcune caratteristiche dei paesi scelti che si vogliono trattare durante la lezione.

6.2 Dimmi come sei vestito e ti dirò da dove vieni

Modalità sensoriale	Cinestesica
Obiettivo	Conoscere i vestiti tipici di diversi paesi
Livello	A1
Nr. partecipanti	Almeno 4
Durata	Da mezz'ora a due ore
Materiali	Scheda 6.2 pagina 133, carta, penna, colori
Preparazione	Fotocopiare la Scheda 6.2 e ritagliare le immagini lungo i contorni. È meglio se le sagome maschio e femmina vengono incollate su un cartoncino. Produrre tante coppie di sagome quanti sono gli studenti.
Svolgimento	1 Ogni studente, oppure ogni coppia, riceve dall'insegnante le sagome (maschio e femmina).
	2 Su un foglio di carta che viene distribuito loro, gli studenti disegnano e colorano i vestiti tipici del paese di origine, per esempio: i vestiti per andare a scuola, per andare in chiesa, per una festa, per il tempo libero, ecc.
	3 Invitare gli studenti a seguire le dimensioni giuste perché il vestito deve essere della "taglia" delle sagome. Far fare anche delle alette piegate, come nella sagoma di esempio che l'insegnante mostra (esempio vestito).
	4 Far adagiare sopra alle sagome i vestiti prodotti dagli studenti, ripiegando le alette fatte come al punto 3. Come esempio mostrare il disegno (esempio indossato).
	5 In plenum si avrà la possibilità di discutere le caratteristiche che riguardano la moda e le tradizioni dei paesi di provenienza degli studenti.
Consigli	Gioco per classi di bambini.

6.3 Mari, monti, fiumi

Modalità sensoriale	Cinestesica, visuale
Obiettivo	Raccogliere informazioni su vari paesi
Livello	A1
Nr. partecipanti	Almeno 5
Durata	Da mezz'ora a un'ora
Materiali	-
Preparazione	L'insegnante disegna alla lavagna una tabella con riportate una serie di categorie (per esempio: la capitale, una città, un monumento, un fiume, un monte, un artista, un attore, uno sportivo, un cibo tipico, una bevanda tipica, un politico).
Svolgimento	1 L'insegnante invita gli studenti a ricopiare su un foglio la tabella presente sulla lavagna.
	2 L'insegnante sceglie uno tra i paesi di provenienza degli studenti.
	3 Gli studenti sono invitati a inserire una voce per ogni materia presente nella tabella.
	4 Il primo che finisce di compilare la tabella conta fino a trenta, il gioco si ferma e si confrontano i risultati.
	5 Se la risposta è uguale a quella espressa dagli altri, si ottengono 5 punti; se, tra le risposte fornite dagli altri, non ce ne fosse nessuna di uguale, si ottengono 10 punti; nel caso però nessun altro abbia risposto, si ottengono 20 punti. Ogni risposta sbagliata o mancante vale 0 punti.
Varianti	1 Gli studenti possono scrivere quante più voci possibili per ogni materia.
	2 Il gioco diventa più difficile se si sceglie una sola lettera dell'alfabeto con cui le risposte devono iniziare.

6.4 Da dove vieni?

Modalità sensoriale	Auditiva
Obiettivo	Raccogliere informazioni su vari paesi
Livello	A2-B1
Nr. partecipanti	Almeno 4
Durata	Circa venti minuti
Materiali	Scheda 6.4 pagina 134 (per la variante)
Preparazione	Fotocopiare una Scheda 6.4 per ogni studente per la variante.
Svolgimento	1 L'insegnante pensa ad un paese. Gli studenti fanno tutte le domande possibili per cercare di indovinare il paese. L'insegnante può rispondere soltanto con un "sì" o un "no".
	2 Lo studente che riesce a indovinare, pensa un nuovo paese.
Varianti	Gli studenti lavorano in coppie. Ogni membro pensa ad un paese e completa la griglia della Scheda 6.4, quindi la passa al compagno, il quale cercherà di indovinare il paese.

Materiali fotocopiabili

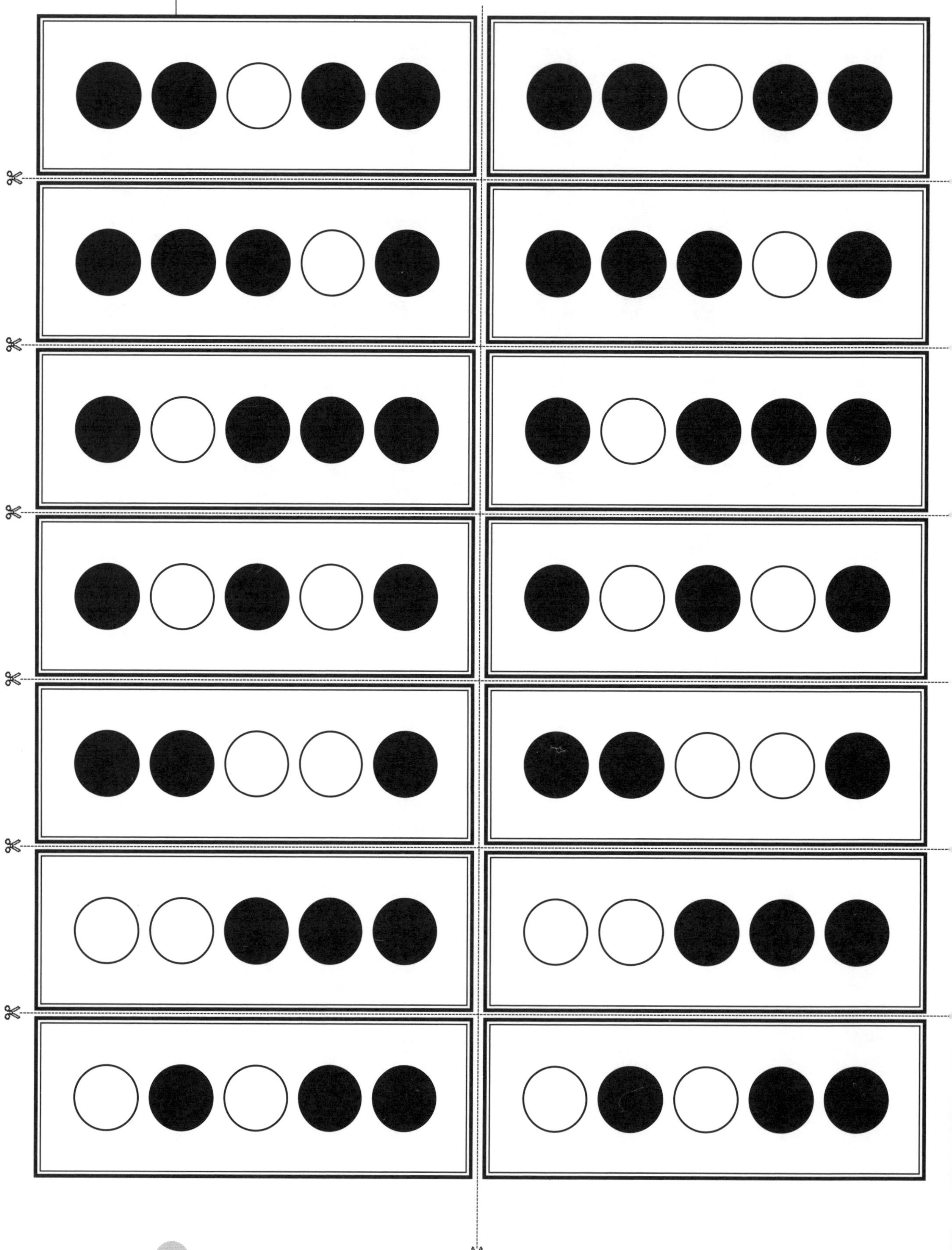

116	116	237	237
350	350	481	481
597	597	608	608
		776	776

Cartellini A

Trecentoquindicimila	315.000	Trecentomilaecinquecento	300.500
Trecentocinquantamila	350.000	Trecentocinquantamilioni	350.000.000
Trentamilaecinquecento	30.500	Tremilatrecentocinque	3.305
		Tremilioniecinquantamila	3.050.000

Cartellini B

Regista	Fellini	Calciatore	Totti
Dolce	Tiramisù	Cantante	Eros Ramazzotti
Il nome della rosa	Umberto Eco	La Divina Commedia	Dante Alighieri
		Il Colosseo	Roma

Cartellini C

Il numero che il dottore chiede al malato	Gli anni di Cristo	Si pensava che finisse il mondo	Dieci volte cento
Pizza ai ... formaggi	Le stagioni	Mille migliaia	Lo ha scritto Marco Polo
Metà di quattordici	I re di Roma	È la quarta parte di un'ora	Quindici minuti
I mesi dell'anno	Una dozzina	I numeri della tombola	Tre per tre per dieci

Cartellini D

Leone	Leone	Coniglio	Coniglio

Serpente	Serpente	Pesce	Pesce

Topo	Topo	Lupo	Lupo

Gallo	Gallo	Cavallo	Cavallo

Gallina	Gallina	Maiale	Maiale

Mucca	Mucca

Bologna	EMILIA ROMAGNA
Genova	LIGURIA
Firenze	TOSCANA
Ancona	MARCHE
Perugia	UMBRIA
Roma	LAZIO
L'Aquila	ABRUZZO
Campobasso	MOLISE
Napoli	CAMPANIA
Bari	PUGLIA

Potenza	BASILICATA
Catanzaro	CALABRIA
Palermo	SICILIA
Cagliari	SARDEGNA
Aosta	VALLE D'AOSTA
Torino	PIEMONTE
Milano	LOMBARDIA
Trento	TRENTINO ALTO ADIGE
Trieste	FRIULI VENEZIA GIULIA
Venezia	VENETO

Capelli	Polso	Sopracciglia	Ginocchio

Piede	Fronte	Schiena	Mento

Spalla	Guancia	Orecchio	Gomito

Braccio	Naso	Mano	Dito

POSTINO	CASALINGA
FOTOGRAFO	MECCANICO
CANTANTE	PESCATORE
INGEGNERE	PARRUCCHIERE
CUOCO	CAMERIERE
CONTADINO	IMPIEGATO

	Città d'Italia	In treno	Mezzi di trasporto	In macchina	Geografia
100	La città in cui è nato Dante Alighieri	C'è la prima e la seconda	RISCHIO	La strada più veloce	RISCHIO
200	RISCHIO	JOLLY	Un mezzo a pedali	È senza piombo	La regione di cui Bari è il capoluogo
300	La città in cui si trova il Teatro alla Scala	È la "strada" su cui viaggia il treno (formata da due rotaie)	Viaggia sotto terra	RISCHIO	La regione italiana in cui si parla anche il catalano
400	La città dei tortellini	RISCHIO	JOLLY	Si tengono accesi quando si guida di notte	La regione del Prosecco
500	È stata per molto tempo la città nemica di Firenze	Bisogna pagarlo per l'Intercity	Viaggia su rotaie in città	Sono cinque in una macchina	JOLLY

(tra parentesi la risposta)

B. 1 - 8 domande introduttive per la squadra A:

1. Come si chiama il mare che bagna Napoli? (Tirreno)
2. Come si chiama il famoso vulcano vicino a Catania? (Etna)
3. Che mezzo prendi al Marco Polo di Venezia? (l'aereo)
4. Il treno è composto di tante…. oppure tanti…. (carrozze/vagoni)
5. Come si chiama la camera d'albergo con un letto? (singola)
6. È famosa quella che si chiama "Termini". Cos'è? (la stazione)
7. Come si chiama la persona che regola il traffico? (vigile urbano)
8. In quale regione si trova Genova? (Liguria)

B.2 - 8 domande introduttive per la squadra B:

1. Come si chiama il mare che bagna Rimini? (Adriatico)
2. Come si chiama il famoso vulcano di Napoli? (Vesuvio)
3. Che mezzo prendi a Roma Termini? (il treno)
4. Come si chiama il biglietto che ti permette di viaggiare una settimana o un mese in autobus o in treno? (abbonamento)
5. Come si chiama la camera d'albergo con due letti? (doppia/matrimoniale)
6. Il nome di un aeroporto milanese? (Malpensa/Linate)
7. Come si chiama la persona a cui i passeggeri del treno fanno vedere il biglietto? (il controllore)
8. Dove si trova la Torre degli Asinelli? (Bologna)

GEOGRAFIA: RISCHIO, Puglia/Puglie, Sardegna, Veneto, JOLLY.
IN MACCHINA: autostrada, benzina verde, RISCHIO, fari, ruote/posti a sedere.
MEZZI DI TRASPORTO: RISCHIO, bicicletta, metropolitana, JOLLY, tram.
IN TRENO: classe, JOLLY, binario, RISCHIO, supplemento.
CITTÀ D'ITALIA: Firenze, RISCHIO, Milano, Bologna, Siena.

GEOGRAFIA: Il fiume più lungo d'Italia? (Il Po)
IN MACCHINA: Si mettono per guidare in auto sulla neve (catene/gomme da neve)
MEZZI DI TRASPORTO: Occorre allacciarla quando si viaggia in macchina o in aereo (cintura di sicurezza)
IN TRENO: Il treno più veloce in Italia? (Eurostar)
CITTÀ D'ITALIA: La città in cui è nato Federico Fellini (Rimini)

| Cosa non ti piace? | | | | Cosa non ti piace? |
| Che lavoro fai? | Mai | A Venezia | Sono tedesco | Solo un po' | Mi piacciono i romanzi | Che lavoro fai? |

| Sei già stato in Italia? | | | | Sei già stato in Italia? |
| Dove sei nato? | Patrizia | Il pesce | Giocare a tennis | Ventitré | Carla | Dove sei nato? |

| Come ti chiami? | | | | Come ti chiami? |
| Dove abiti? | Ventidue | Impiegato | | Sì, bene | Mai | Dove abiti? |

| Cosa leggi? | | | | Cosa leggi? |
| Ti piace la musica? | Ad Ancona | Medico | A Parma | Due volte | A Roma | Ti piace la musica? |

| Parli tedesco? | | | | Parli tedesco? |
| Quanti anni hai? | Sono insegnante | A Rovigo | Paola | A Trieste | Spesso | Quanti anni hai? |

| Dove lavori? | | | | Dove lavori? |
| Come ti chiami? | A Padova | I fumetti | Sì, molto | Sì, mi piace Mozart | Paolo | Come ti chiami? |

PREFERIRE	DOVERE	RIPETERE	TELEFONARE
PRESENTARE	AFFITTARE	VENDERE	CERCARE
CHIEDERE	ABITARE	RINGRAZIARE	CHIAMARE
LAVORARE	SALUTARE	RISPONDERE	RIPARARE
SCRIVERE	ESPRIMERE	PARLARE	VIVERE
ARRIVARE	STIRARE	STUDIARE	TORNARE
ASCOLTARE	PARTIRE	MANGIARE	LEGGERE
GUARDARE	SALIRE	SCENDERE	SENTIRE
RIMANERE	DORMIRE	COMPRARE	PATTINARE
AMARE	AVERE	LAVORARE	POTERE
DIRE	VOLERE	SENTIRE	SAPERE
FINIRE	ESSERE	FARE	ANDARE
STARE	CAPIRE	CUCIRE	MORIRE
		CADERE	BERE

Un biglietto di andata o uno di andata e ritorno?	Me ne dia uno di sola andata, grazie.
Quanto prosciutto desidera?	Mm, me ne aggiunga un altro po', facciamo più o meno sette etti.
Quante sogliole mi ha detto che vuole?	Ne voglio tre, grazie. Sono fresche, vero?
Quanta stoffa desidera?	Me ne dia mezzo metro, mi basta per finire la gonna.
Quante banane?	Me ne dia un casco, grazie. Non troppo mature, se possibile.
I signori gradiscono qualcos'altro? Del caffè?	Sì, grazie. Ce ne porti due, corretti.
Ecco il suo chilo di pane. Le serve altro?	Sì, della farina. Me ne dia un pacco, grazie.
Ditemi, quante finestre mettiamo su questa parete? Una o due?	Forse ne basta una, altrimenti non ci sta più l'armadio. Tu, caro, cosa dici?
Allora, un francobollo mi ha detto?	No, me ne dia pure due. Prendo anche questa cartolina.
Quante parole sconosciute ci sono nel testo?	Ce ne sono parecchie.
Aggiungiamo qualcos'altro al mazzo?	Sì, del mughetto magari, se ne ha.
Una pallina, un euro; due palline, un euro e mezzo.	Me ne metta pure due: cocco e stracciatella.

COMPLEANNO INVERNO: _____

GEMELLO/GEMELLA: _____

TROVARE DENARO PER STRADA: _____

AVERE ZIA ANTIPATICA: _____

ODIARE MUSICA LIRICA: _____

DESIDERARE DI VIVERE ALL'ESTERO: _____

SCRIVERE SUI MURI DA PICCOLO: _____

VIVERE IN DIVERSE LOCALITÀ DA PICCOLO: _____

ANDARE IN CAMPEGGIO: _____

PASSEGGIARE PER I BOSCHI: _____

PREPARARE TORTA: _____

FAR COLLEZIONE FRANCOBOLLI: _____

INSEGNANTE SEVERO: _____

ESSERE ZIO: _____

CANTARE: _____

1. _____
2. _____
3. _____
4. _____
5. _____
6. _____
7. _____
8. _____
9. _____
10. _____

Battuta iniziale:

Papà mi presteresti la macchina?

Battute successive (qui in ordine):

Non _____ presto. Piove ed è sera: è pericoloso.
Cara, perché non ti metti quel profumo speciale che ti ho regalato io?

Non _____ metto perché mi fa venire il mal di testa.
Caro, mi sto vestendo, mi faresti il favore di portarmi le scarpe?

_____ porto subito. Ah, tesoro, prendo una bottiglia di vino per il signor Rossi
e… non ti sembra il caso di portare qualcosa, magari un mazzo di fiori, alla signora?

Non ti preoccupare, _____ ho già preso. Massimo,
non fare tardi questa sera. E ricordati che ti lasciamo le chiavi sotto il tappeto…

Sotto cosa? Dove _____ lasciate?

Il tappeto, sotto il tappeto!
Tesoro, vuoi che ti faccia il nodo alla cravatta?

No, no, _____ faccio io. Ecco, come sto?
Ah, Massimo, perché non chiedi al tuo amico Carlo un passaggio in macchina?

_____ ho già chiesto, ma lui deve accompagnare i suoi genitori dagli zii
e questa sera non c'è. Vabbe', io vado, eh? Ciao ciao, ciao papà, ciao mamma.

Ciao Massimo.
Poverino, la macchina avresti potuto lasciar _____, no?

Lasciar _____ ???? Ma se ha appena preso la patente?!
Dai, muoviti, che facciamo tardi e i Rossi ci aspettano.

Soluzione pronomi: te la; me lo; te le; gliel'; me le; me lo; gliel'; gliela; gliela.

Stamattina mi sono alzato tardi. Non avevo sentito la sveglia. Avevo solo il tempo di lavarmi la faccia, ma purtroppo non c'era acqua.

descrivi cosa fai nei cinque minuti che hai a disposizione prima di uscire

Una volta raggiunta la fermata dell'autobus, mi sono ricordato che c'era lo sciopero dei mezzi…

descrivi come riesci a raggiungere la scuola

Ho bussato alla porta della classe, ma ecco che mi attendeva una spiacevole sorpresa…

racconta cosa ti è successo

L'insegnante mi ha detto:

scrivi cosa ti ha detto l'insegnante

Prima di uscire mi sono ricordato di una cosa molto importante:

scrivi qual era la cosa importante

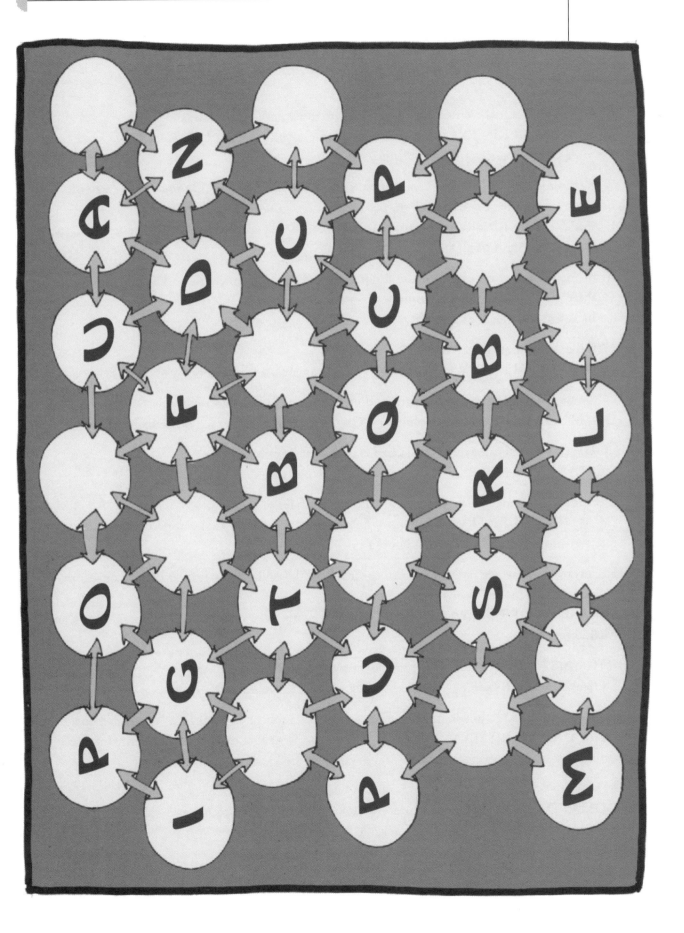

Lista delle parole nascoste e domande

A Arlecchino – Qual è il nome di una maschera di carnevale piena di colori?
DOMANDA DI RISERVA - Amatriciana – Come si chiama il piatto di pasta il cui sugo è composto da cipolla, pancetta e pomodoro?

B *Bagnino* - *Come si chiama la persona che salva le persone in mare? (Da usare come esempio)*
Bologna – In quale città italiana è stata fondata la prima università al mondo, nel 1088?
DOMANDA DI RISERVA - Befana – Come si chiama la vecchietta che la notte tra il cinque e il sei gennaio porta i regali ai bambini?

B Brunello di Montalcino – Qual è il nome di uno tra i più pregiati vini toscani?
DOMANDA DI RISERVA - Babbo – Qual è il termine che si usa spesso in Italia centrale, specie in Toscana, al posto di "papà"?

C Calle – Come si chiama una via a Venezia?
DOMANDA DI RISERVA - Coriandoli – Cosa si lancia a Carnevale?

C Como – Mi sai dire il nome riferito ad una città e a un lago in Lombardia?
DOMANDA DI RISERVA - Colomba – Qual è il nome di un tipico dolce pasquale?

D Dado – Mi sai dire come si chiama un cubo con i numeri?
DOMANDA DI RISERVA - Dispari – 3, 5, 7, 9: che tipo di numeri sono?

E Emotivo – Come si dice una persona molto sensibile?
DOMANDA DI RISERVA - Egregio – Se si stende una lettera molto formale, quale parola si può scrivere prima di "Signor" o "Signora"?

F Ferrara – Qual è la città in cui furono inventate le tagliatelle agli inizi del Cinquecento, in onore ai capelli biondi di una nobile sposa?
DOMANDA DI RISERVA - Firenze – Qual è il nome della città italiana in cui nacque Dante Alighieri?

G Giugno – In quale mese si festeggia la festa della Repubblica?
DOMANDA DI RISERVA - Galileo Galilei – Chi è l'inventore del telescopio?

I Idem – C'è una parola latina che gli italiani usano molto e che significa "lo stesso": qual è?
DOMANDA DI RISERVA - Influenza – Come si chiama una malattia tipicamente invernale, a cui si possono accompagnare febbre, mal di gola e raffreddore?

L Libero – "Scusi, è …….. questo posto?" Quale parola manca in questa frase?
DOMANDA DI RISERVA - Lavoro – "L'Italia è una Repubblica fondata sul…….. ?": Quale parola manca in questa frase, che è l'articolo 1 della Costituzione?

M Maserati – Qual è il nome di una famosa casa automobilistica italiana?
DOMANDA DI RISERVA - Margherita – Qual è il nome della pizza formata da: pasta, mozzarella, basilico e pomodoro?

N Navona – Qual è il nome di una tra le più famose piazze di Roma?
DOMANDA DI RISERVA - Napoli – In quale squadra di calcio italiana giocava Maradona?

O Obbligare – Mi sai dire un sinonimo di "costringere"?
DOMANDA DI RISERVA - Omaggio – Di una cosa che non si deve pagare, che è gratis, si dice che è "in…"

P Piovra – La Mafia è paragonata spesso a un animale marino: quale?
DOMANDA DI RISERVA - Pandoro / Panettone – Qual è il nome di un dolce tipico di Natale?

P Pesto – Come si chiama il famoso sugo genovese per la pasta, fatto di: olio, aglio, basilico, parmigiano, pecorino e pinoli?
DOMANDA DI RISERVA - Pasta – Può essere secca o all'uovo ma tutti i giorni è sulla tavola degli italiani. Cos'è?

P Pirandello – Qual è il cognome di uno famoso scrittore siciliano che vinse il Premio Nobel?
DOMANDA DI RISERVA - Permesso? – Che parola usiamo quando chiediamo di poter entrare in casa di qualcuno?

Q Quotidiano – Mi sai dire un sinonimo di "giornale"?
DOMANDA DI RISERVA - Quarto – Cosa viene dopo il terzo?

R Rimini – Qual è la città romagnola dove è nato Federico Fellini e che è famosa per le sue discoteche?
DOMANDA DI RISERVA - Rinascimento – Qual è il nome di un famoso periodo per l'arte e la civiltà italiana, tra il 1500 e il 1600?

S Sciopero – Cosa fanno i lavoratori quando, per protesta, decidono di non lavorare?
DOMANDA DI RISERVA - Sognare – Qual è un'azione che si fa mentre si dorme?

T Trieste – Qual è il nome di una città italiana del Nord famosa per la bora, un vento molto forte?
DOMANDA DI RISERVA - Tarantella – Qual è il nome di un celebre ballo del Sud Italia, e in particolare di Napoli?

U Ulivo – Qual è l'albero tipico del Sud Italia, dai cui frutti si ricava l'olio?
DOMANDA DI RISERVA - Unire – Mi sai dire un verbo che significa "mettere insieme"?

V Vicolo – Come si chiama una via breve e stretta?
DOMANDA DI RISERVA - Vista – È uno dei cinque sensi: quale?

Tracce

Il/La tuo/a compagno/a di destra è ritornato/a da un viaggio intorno al mondo, scrivi un discorso.	Il/La tuo/a compagno/a di destra si sposa con una stella del cinema, scrivi un discorso.
Il/La tuo/a compagno/a di destra ha ricevuto un premio per un'azione eroica, scrivi un discorso.	Il/La tuo/a compagno/a di destra è diventato/a presidente del suo Paese, scrivi un discorso.
Il/La tuo/a compagno/a di destra ha vinto la medaglia d'oro al tiro con l'arco alle Olimpiadi, scrivi un discorso.	Il/La tuo/a compagno/a di destra ha vinto il Leone d'Oro al Festival del Cinema di Venezia come miglior attore/attrice per un film, scrivi un discorso.
Il/La tuo/a compagno/a di destra ha vinto un record al Guinness dei Primati, scrivi un discorso.	Il/La tuo/a compagno/a di destra inaugura una mostra di quadri, scrivi un discorso.
Il/La tuo/a compagno/a di destra ha pubblicato il suo primo romanzo, scrivi un discorso.	Il/La tuo/a compagno/a di destra si è laureato/a, scrivi un discorso.
Il/La tuo/a compagno/a di destra ha compiuto 100 anni. Scrivi un discorso per la sua festa.	

Liste di parole

mucca – motorino – acqua – telefono	finestra – parco – libro – pesci
cemento armato – computer – cera – mano	gabinetto – Pavarotti – collina – scrivania
temporale – tigre – piede – forbice	bicarbonato – cellulare – elefante – dito
televisione – isola – matita – gatto	peperone – bomba – tennis – colla
albero – coltello – inchiostro – faccia	macchina – mongolfiera – naso – olio
cavallo – pepe – oceano – numero	cerchio – muro – topo – spaghetti
lupo – carrozzina – lettera – lavandino	mondiali di calcio – sale – lava – politica

TESTO n° 1 - LIVELLO: A2

GENERE TESTUALE: UNA EMAIL

MITTENTE: UNA RAGAZZA

DESTINATARIO: UN RAGAZZO

Nuovo Messaggio

Invia Conversazione Allega Indirizzo Font Colori Registra come Bozza

A: maurizio@alma.it
Cc:
Oggetto: ci vediamo alla stazione

Caro Maurizio,
come va? Oggi mi sento proprio felice. HO TROVATO LAVORO!!! A partire da
domani lavoro cinque ore tutte le mattine badando a due bambini deliziosi, Luca e
Laura, mentre la mamma, una mia vicina di casa, è al lavoro.
Sabato andrò a cena da Fabio e Marcella e lunedì alle 3 ci vediamo alla stazione.
Ti vengo a prendere, ovviamente!!!
Mi manchi tanto...
Baci,
Stefania

TESTO n° 2 - LIVELLO: B1

GENERE TESTUALE: UNA LETTERA

EMITTENTE: UN ANZIANO

DESTINATARIO: UN GIORNALE

UN "PROPRIETARIO" SCONFORTATO

Ho settantacinque anni, ero un artigiano del legno con un mio laboratorio, mi sono anche fatto una piccola casa nel paese. I figli sono lontani e io, vedovo, vivo da solo, ma ho affittato quel mio laboratorio a un tappezziere che da tre mesi non mi paga l'affitto; dice che non c'è lavoro e lui non sa dove rimediare i soldi. Io gli ho chiesto sempre con le buone maniere di pagarmi perché quei soldi mi servono, ma lui, mi ha anche detto che sono fortunato ad avere un appartamento mio e a prendermi i soldi senza lavorare. Ma io ho lavorato una vita per mettere insieme il poco che ho: ho chiesto a un avvocato come devo fare e lui mi ha detto che si può fare causa ma si va per le lunghe. Forse quel tappezziere aspetta che io muoio. Possibile che con tutti i governi chi ha una casa o un magazzino deve passare per "ricco" e chi non paga invece trova tutte le giustificazioni? Ma io sono "proprietario" e devo subire e tacere.

Mario C., Genova

da 50 & PIÙ, dicembre 1997

1. LA MACCHINA FOTOGRAFICA (1:1)

STUDENTE A

Abiti a Roma. Sei disoccupato/o e senza soldi. Hai deciso di vendere una macchina fotografica (che non funziona) a qualche passante perché hai urgente bisogno di denaro.

STUDENTE B

Sei un/una turista straniero/a in vacanza a Roma. È l'ultimo giorno di vacanza e vuoi comprare un regalo di compleanno per tuo figlio. Uno sconosciuto ti batte sulla spalla. È vestito male, puzza di alcol e non ti sembra molto affidabile.

2. CONCERTO DI TIZIANO FERRO (1:1)

STUDENTE A

È da tre mesi che hai deciso di andare al concerto di Tiziano Ferro con tuo/a cugino/a: gli/le hai comprato il biglietto come regalo di compleanno.
Squilla il cellulare, sicuramente è lui/lei che ti avvisa che ti passa a prendere; tu infatti non hai la patente e non puoi andare da solo/a.

STUDENTE B

Hai promesso a tuo/tua cugino/a di andare al concerto di Tiziano Ferro. Saresti dovuto/a partire già da dieci minuti, per passarlo a prendere con la tua macchina. Questa mattina però hai ricevuto un invito da un/una collega a passare una serata con lui/lei. Telefona a tuo/tua cugino/a, inventa una scusa e di' che non puoi.

3. GLI ARCHITETTI (2=2:2:2)

STUDENTI A, B
Siete una coppia di giovani sposi/amici che ha deciso di trasferirsi in Italia. Vi siete rivolti a diversi studi di architetti per il progetto di una casa da costruire in Italia. Avete un quarto d'ora per pensare alle domande da rivolgere agli architetti sui progetti che vi esporranno. Dovrete apparire come dei clienti "difficili".

STUDENTI C,D – E,F – G,H, ecc.
Rappresentate diversi studi tecnici. Ogni studio ha elaborato il progetto di una casa per una coppia di sposi/amici che vogliono vivere in Italia. Dovete convincere la coppia ad accettare il vostro progetto. Avete un quarto d'ora per studiare il progetto, dopodiché lo spiegherete alla coppia. Quando gli altri studi presenteranno i loro progetti, potrete far notare i loro difetti.

4. IL MINISTRO DELLA PUBBLICA ISTRUZIONE (1=2:2:2:2)

STUDENTE A
Sei il Ministro italiano della Pubblica Istruzione. Hai deciso di incontrare alcuni studenti per decidere come investire i soldi destinati alla scuola il prossimo anno. Ascolti i loro pareri e poi decidi a favore del gruppo che avanza le proposte più convincenti.

STUDENTI B,C
Il Ministro della Pubblica Istruzione deve decidere come investire i soldi destinati alla scuola il prossimo anno. Voi rappresentate gli studenti molto bravi in educazione fisica.

4. IL MINISTRO DELLA PUBBLICA ISTRUZIONE (1=2:2:2)

STUDENTI D,E
Il Ministro della Pubblica Istruzione deve decidere come investire i soldi destinati alla scuola il prossimo anno. Voi rappresentate il gruppo dei geni.

STUDENTI F, G
Il Ministro della Pubblica Istruzione deve decidere come investire i soldi destinati alla scuola il prossimo anno. Voi rappresentate gli studenti artisti.

STUDENTI H, I
Il Ministro della Pubblica Istruzione deve decidere come investire i soldi destinati alla scuola il prossimo anno. Voi rappresentate gli studenti indisciplinati.

5. MAMMA, C'HO UN FIDANZATO (1:1)

STUDENTI A
Voi tutti siete la madre. Avete una figlia (e si ripetono le caratteristiche scelte dagli studenti-figlia)

STUDENTI B
Voi tutti siete la figlia, la quale è innamorata di un ragazzo che non ha soldi né lavoro. Avete deciso di sposarvi. Ora, a tavola, annunciate alla madre (di cui si ripetono le caratteristiche scelte dagli studenti-madre) la vostra decisione.

Nome studente: _____ Nome personaggio: _____

Caratteristiche segrete

occupazione: _____

età: ☐ 15 – 25 ☐ 25 – 30 ☐ 30 – 40 ☐ 40 – 50 ☐ 50 – 60 ☐ 70 – 80 ☐ 80 – 100

lo stato civile: _____

hobby: _____

Altre caratteristiche

in quale appartamento vive: _____

le manie: _____

problemi che causa agli altri: _____

Nome studente: _____ Nome personaggio: _____

Caratteristiche segrete

occupazione: _____

età: ☐ 15 – 25 ☐ 25 – 30 ☐ 30 – 40 ☐ 40 – 50 ☐ 50 – 60 ☐ 70 – 80 ☐ 80 – 100

lo stato civile: _____

hobby: _____

Altre caratteristiche

in quale appartamento vive: _____

le manie: _____

problemi che causa agli altri: _____

Nome studente: _____ Nome personaggio: _____

Caratteristiche segrete

occupazione: _____

età: ☐ 15 – 25 ☐ 25 – 30 ☐ 30 – 40 ☐ 40 – 50 ☐ 50 – 60 ☐ 70 – 80 ☐ 80 – 100

lo stato civile: _____

hobby: _____

Altre caratteristiche

in quale appartamento vive: _____

le manie: _____

problemi che causa agli altri: _____

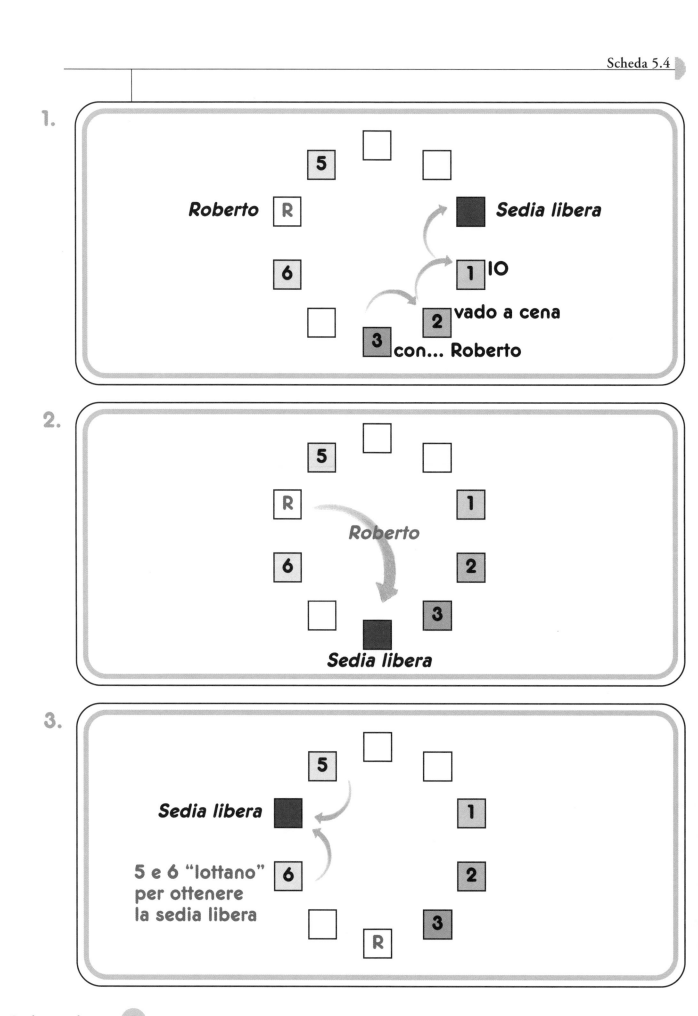

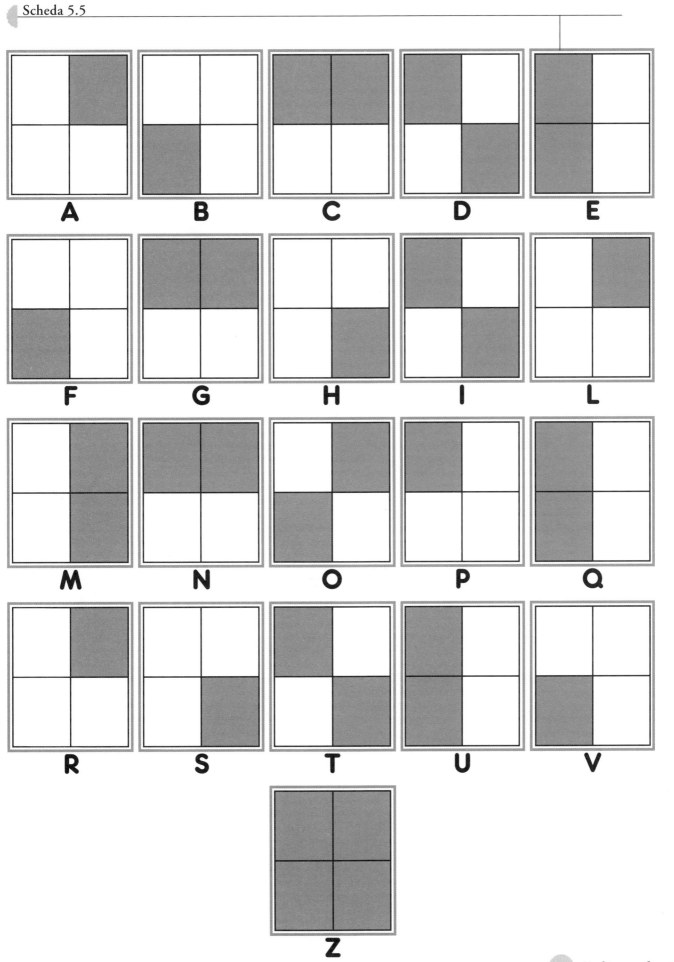

IL SERPENTE, IL BAMBINO E LA GALLINA

1.
Oh ma quanta gente,
sono un serpente
striscio tra gli arbusti
mordo anche i fusti

2.
Sono un bambino
voglio il gelatino
patatine e pizza
questa è la delizia

3.
La gallina coccodé
ma che c'è? Ma che c'è?
Sono una gallina
ma guarda che cretina

CHE FAME!

1.
Pasta, pane, pizza

2.
Spaghetti, maccheroni

3.
Acqua minerale

4.
Pranzo assai speciale

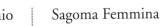

Sagoma maschio | Sagoma Femmina

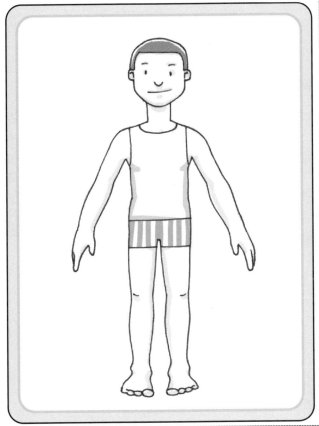

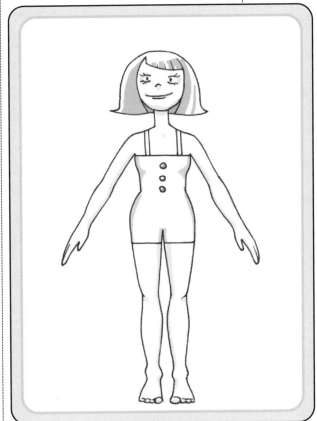

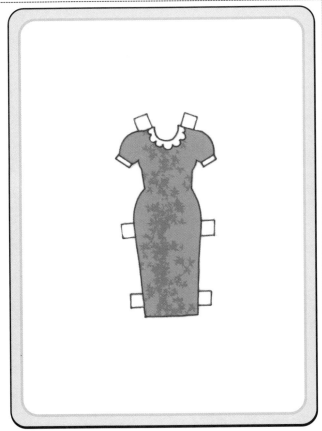

Esempio vestito | Esempio indossato

Vedo queste cose: _____

_____

_____

Sento questi rumori: _____

_____

_____

Sento questi odori: _____

_____

_____

Ho in bocca questo sapore: _____

_____

_____

Provo queste sensazioni: _____

_____

_____

Alma Edizioni
Italiano per stranieri

La **Grammatica pratica della lingua italiana** permette di esercitare la grammatica in modo completo ed efficace.

Presenta centinaia di esercizi, quiz, giochi, schede grammaticali chiare ed essenziali e degli utili test a punti che aiutano lo studente a verificare il livello di conoscenza della lingua.

Adatto a tutti gli studenti dal principiante all'avanzato. Sono incluse le soluzioni.

I verbi italiani è un eserciziario interamente dedicato allo studio dei verbi italiani.

Tramite schede chiare ed essenziali ed esercizi vari e stimolanti, lo studente viene guidato alla scoperta dei tempi e dei modi verbali della lingua italiana.

Adatto a tutti gli studenti dal principiante all'avanzato. Sono incluse le soluzioni.

Alma Edizioni
Italiano per stranieri

Giocare con la fonetica è rivolto a tutti quegli insegnanti di italiano L2 "intimoriti" dalla fonetica che spesso, pur ritenendo di grande utilità per gli studenti lavorare sulla pronuncia, non sanno esattamente come e cosa proporre durante le lezioni.

Questo testo propone un approccio ludico, dinamico e coinvolgente all'argomento, attraverso una grande quantità di attività, giochi, role-play, esercizi, con istruzioni sullo svolgimento, **materiale fotocopiabile** e agili schede di sintesi teorica.

Il corso è interessante anche per lo studente autodidatta poiché prevede anche una sezione con esercizi da svolgere a casa o nel laboratorio linguistico. Sono incluse le soluzioni.

Da zero a cento presenta un'ampia gamma di test a punti per valutare la conoscenza della lingua italiana, in relazione ai 6 livelli del Framework (il *Quadro comune europeo di riferimento per le lingue* elaborato dal Consiglio d'Europa), da A1 a C2.

I test, graduati secondo una difficoltà progressiva, permettono allo studente di "mettersi alla prova" in italiano, in una gustosa e motivante sfida con la lingua, e di verificare il proprio livello di conoscenza in modo immediato grazie ai punteggi.

Oltre a esercitare lo studente nell'uso della lingua, i test forniscono numerose informazioni e curiosità sulla storia, la cultura, le abitudini e le tradizioni italiane. Sono incluse le soluzioni.

ALMA EDIZIONI
viale dei Cadorna, 44
50129 Firenze - Italia
tel ++39 055476644
fax ++39 055473531
info@almaedizioni.it
www.almaedizioni.it